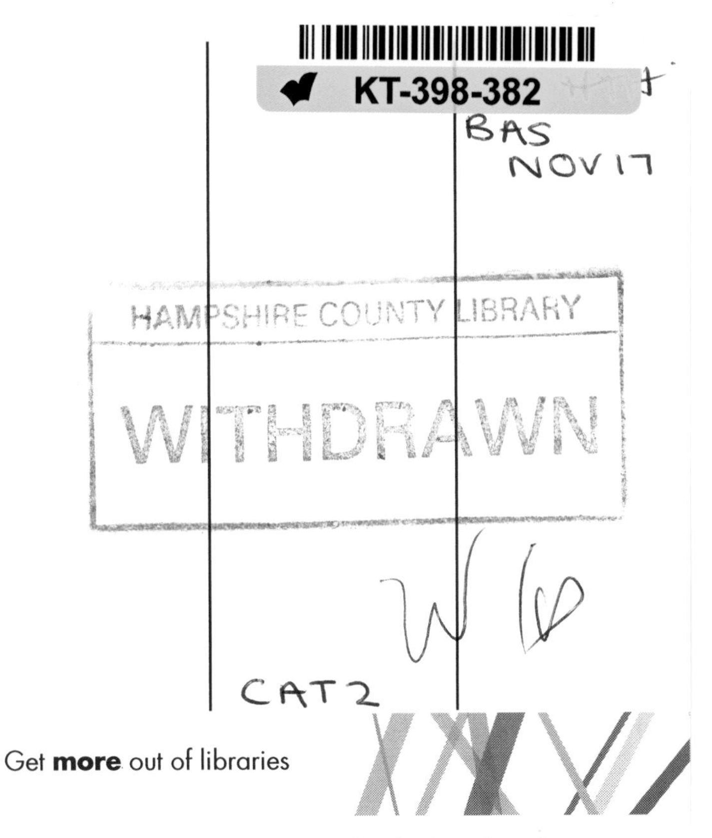

ЮРИЙ МАМЛЕЕВ

ВСЕЛЕНСКИЕ ИСТОРИИ

РОМАН. РАССКАЗЫ

ЭКСМО
МОСКВА
2013

УДК 82-3
ББК 84(2Рос-Рус)6-4
М 22

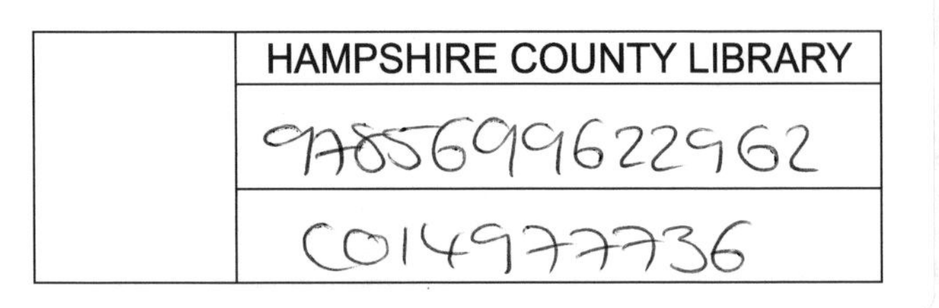

Мамлеев Ю. В.

М 22 Вселенские истории : роман, рассказы / Юрий Мамлеев. – М. : Эксмо, 2013. – 320 с.

ISBN 978-5-699-62296-2

Куда приведет цивилизация, главный принцип которой: «любой шаг в вашей жизни, тем более важный шаг, должен приносить деньги»? Духовно, метафизически абсолютно бессмысленный мир, в котором все под контролем – от сумасшествия до бессмертия. А любые предметы и явления можно превратить в сексуальные объекты, даже весь земной шар с городами и небоскребами. Агония человечества, продолжающаяся тысячелетиями...

Кто попадет на Корабль бессмертных? И разгадает тайну России? Спасет ли мир новый Мессия? И каким будет этот мир?

Новый роман «Вселенские истории» Юрия Мамлеева, лауреата Государственной премии 2012 года за книгу «Россия вечная», поможет осознать путь, ведущий к сохранению духовности человечества и, возможно, вечной жизни. В книгу включены также новые рассказы автора.

УДК 82-3
ББК 84(2Рос-Рус)6-4

ISBN 978-5-699-62296-2

ВСЕЛЕНСКИЕ ИСТОРИИ. РОМАН

Часть I
АППЕТИТ

Это случилось в XXI веке, в Объединенной Европе. Некто Эдди Липп из довольно интернационального городка, расположенного где-то на границе между Германией и Бельгией, дал в Интернет объявление, которое сначала затерялось среди многочисленных других, но потом на него откликнулись несколько человек. Заявление было следующим: «Приглашаю человека, который хочет, чтобы его съели, на дружеский ужин в мой дом. Мы будем одни, и я гарантирую, что его желание будет выполнено в приятной обстановке, в той форме, в которой он захочет». Далее сообщалось, как связаться.

Из четырех откликнувшихся на призыв господин Липп выбрал Фридриха Зерца, мужчину в соку, лет сорока, с открытым и честным лицом. Познакомились заочно, но когда в назначенное время, в десять вечера, раздался звонок в квартиру Липпа, хозяин чуть-чуть замешкался: мало ли что. Но доверчивая улыбка Фридриха сняла все подозрения.

– Надеюсь, мое пожелание будет выполнено без всяких колебаний, как мы и договорились, – произнес господин Зерц.

– Что вы, что вы, – доверительно ответил Липп. – Как можно иначе? Угощение, вино – все за мой счет, естественно.

Фридрих добротно разделся, и Липп провел его в гостиную, где уже был сервирован ужин, пусть и довольно скромный. Хозяин был не то что очень бережлив, но обыкновенно.

– Называйте меня просто Эдди, – сказал Липп.

– Благодарю, Эдди.

– Начнем с вина, Фридрих.

Эдди и Фридрих чокнулись. Эдди тут же показал орудия реализации – набор острых кухонных ножей, на полу – изящные ведерки, полотенца и еще что-то вполне разумное.

– Приступим не сразу, Фридрих. Сначала пообщаемся, поймем друг друга, поговорим, – произнес Эдди. – Ну что ж. Какая, интересно, завтра будет погода?

– Завтра, – с воодушевлением ответил Фридрих, – обещают потепление, но незначительное. И, представьте, северный ветер, дождь.

– Да, – задумчиво среагировал Эдди. – Сегодня дождя, однако, не было.

– У нас, в Швейцарии, немного моросил.

– Вы прилетели самолетом или предпочли поезд?

– Эдди, вы должны знать, что я всегда предпочитаю самолет. Моя жена подбросила меня до аэропорта.

– Фридрих, вы сообщили ей о своем намерении?

– Нет. Я сказал ей, что уезжаю по делу. Я никогда не сообщаю моей жене о характере моих деловых поездок. А ваша жена?

– Она спит наверху. У нас двухэтажная квартира. У нее очень здоровый сон.

– Прекрасно, Эдди. Кстати, мы с вами почти одного возраста. Вам сколько лет?

– 42.

– А мне 41. Вот видите.

– Фридрих, у вас есть дети?

– Конечно. Но они разъехались.

– У меня они тоже разъехались. Думаю, навсегда. Это нормально.

Они выпили соку. Закусили.

– И все-таки, Эдди, – заявил Фридрих, – я не ожидал, что сегодня будет такая погода.

– Я тоже не ожидал.

Фридрих застенчиво улыбнулся:

– Может быть, мы приступим к делу?

– Да, думаю, что теперь мы хорошо познакомились, – ответил Эдди.

– Мы не просто познакомились, Эдд, – произнес Фридрих. – Мы за этим столом стали уже друзьями.

– Это правда, Фридрих. Мы так сблизились сейчас. У меня в жизни не было такого друга, как вы.

– У меня был один такой, Эдди. Но он умер.

– И где он умер?

– На работе в Соединенных Штатах Америки.

– Вы смотрите телевизор, Фридрих?

– Да.

– Я тоже да.

– И что вы смотрите?

– Что придется.

– Я тоже что придется.

Помолчали. Довольно долго, но свободно.

– Фридрих, это нескромный вопрос, но где вы работаете?

– Чиновником. Я директор почты.

– О'кей.

Помолчали.

– Чувствуйте себя комфортней, Фридрих. Пора приступать. А то жена проснется. Иногда это бывает.

– Я никогда не чувствовал себя так комфортно, Эдди. Приступаем.

– Включим тихо музыку? Что-нибудь чувствительное?

– Что вы, Эдди, слишком архаично. Обойдемся без музыки.

– Хорошо. Я приступаю, – ответил господин Липп и взял нож. – Но вы кушайте, кушайте, не стесняйтесь... Итак, с чего мы начнем? Видите, перед вами на столе аппаратура со сковородкой, новейшая технология... Быстренько жарим... С чего начнем?

– Несомненно, с члена.

– Ой-ой-ой! Так сразу?! Много крови, вы можете потерять сознание...

– На кой черт мне нужно это сознание?..

– Подождите, Фридрих, подождите. Не дело начинать с члена. У меня, конечно, есть обезболивание, но все равно... Давайте начнем потихонечку... Вы ведь хотите получить удовольствие от поедания самого себя, не так ли?

– Да, но не обязательно вкусовое. И не удовольствие, а что-то большее... Впрочем, мне все равно...

– У вас довольно жирные ляжки. Начнем с них. Здесь легко останавливать кровь... Я имею определенный медицинский опыт... Снимайте штаны, трусы...

Фридрих, словно по команде, все снял. Все, что нужно для анестезии, было приготовлено на высшем уровне. Для начала он использовал эти средства. Потом Липп стал действовать специальными инструментами. Кровь хлестала ручьем, но Эдди ее умело останавливал. Работал он, засучив рукава, мастерски и спокойно. Куски мяса бросались на сковородку и молниеносно поджаривались, аппетитно потрескивая.

– Смелей, смелей, Эдди, – подбадривал его Фридрих. – Что вы церемонитесь тут со мной? Работайте.

– Нет, Фридрих. Я передохну. Давайте отведаем вашего мясца.

Эдди ел с каким-то добротным аппетитом, причмокивая, даже чуть-чуть похрюкивая. Фридрих ел достойно, но порой хохотал. Покушавши, они опять приступили к делу. Эдди работал еще с большей осторожностью.

– Эдди, – сказал Фридрих, – я все-таки думаю, что погода скоро изменится к лучшему.

– Я в это не верю, Фридрих. Думаю, что она недели три будет неважной.

– Может быть, вы и правы. О погоде трудно говорить заранее.

– Фридрих, я чувствую, что вам надо мясцо ваше чем-то приправить. Скажите, чем? Вы, когда ели, морщили нос...

– Это не важно. Ну, добавьте черного перцу.

– О'кей.

Еще несколько кусков мяса было брошено на сковородку.

– Как вы себя чувствуете? – спросил Фридрих. Кровь его текла в тазик.

– О'кей.

Фридрих вздохнул.

– Эдди, вы работаете прекрасно. Вы не против, если я выпишу вам чек на три тысячи евро?

– Не так много, за этот элитарный труд. Но отказаться от денег – это выше человеческих сил. Даже если деньги не нужны. Спасибо!

Фридрих вынимает из кармана пиджака книжку и выписывает чек. Лицо его побелело.

– Возьмите. У меня есть счет в немецком банке.

– О'кей.

– Но вы, Эдди, сказали странно... «Когда деньги не нужны». Разве деньги бывают не нужны?

– Я оговорился.

– Хм, я не люблю бреда, Эдди.

– Это не бред, Фридрих. Я сказал, что оговорился. Давайте опять покушаем. Минуточку, сделаю вам укол...

– Валяйте.

И они принялись есть.

– Вкусно, вкусно, – приговаривал Эдди.

– Скорее жрите меня, Эдд, – чуть-чуть распустился Фридрих. – Вы ведете себя как университетский профессор.

– Ну и что? Не будем спорить, Фридрих. Как я вам говорил, все, что здесь происходит, записывается... Мы станем знаменитыми... Это наверняка пустят по всей Европе и США по телевидению и так далее.

– Это здорово, Эдди. Я всегда мечтал стать известным, чтобы обо мне говорили. Потом, правда, я позабыл об этой мечте.

Эдди откинулся на спинку кресла и проговорил:

– Хорошо быть знаменитым... Но меня могут посадить в тюрьму... Впрочем, вряд ли; я изучил юридические тонкости... У нас нет закона против каннибализма... В отличие от Англии, где каннибалов, как известно, всегда было предостаточно... Но главное состоит не в славе... Главное – нам надо завершить наше великое дело.

– Вы правы, Эдд, как вы правы! Завершить! Но вы тянете, колете меня в задницу, перевязываете; скоро я стану забинтованным трупом... Пора кончать! – вдруг рявкнул Фридрих и ударил кулаком по столу. – Говорю вам это с немецкой прямотой! Пора кончать... Мне тошно быть.

– Вам тошно быть, Фридрих? Вы хотите сказать, что из-за этого согласились, чтобы я вас съел? Мне казалось, что вы согласились на это просто так, а не из-за каких-то там мыслей.

– Эдд, вы меня стали раздражать. Конечно, не из-за этого. А зачем вам знать причину? Никакой причины нет...

Эдди внимательно посмотрел на Фридриха.

– Нет, причина есть.

– Нет, причины нет. Просто хочу, и все. Много нас таких.

– А я думаю, причина есть.

И Эдди, раздраженный, не так, как следует, резанул Фридриха по телу. Тот взвизгнул, как женщина, но потом выпучил глаза и обрадовался:

– Смелее, Эдди, смелее... Сколько вам говорить!

– Фридрих, не мешайте мне работать. Я тут не для того, чтобы убить вас, а для того, чтобы мы вдвоем вас съели. Согласно договору, который зафиксирован письменно.

Фридрих Зерц молчит. Он устал, но уколы помогают. Эдди работает в поте лица. Мясцо похрустывает на сковородке. Такое ощущение, что Фридрих впадает в обморок. Но вдруг он резко очухивается, смотрит мутным взглядом на сковородку, где поджаривается его тело, и произносит:

– Дорогой друг, это все не то...

И вдруг резко ударяет Эдди по лицу огромной своей, всей в крови ручищей. Господин Липп онемел.

– Вы дилетант, Эдди. Почему вы не жрете меня, почему я не в состоянии жрать... Эта куча мяса на сковородке – для кого? Для крыс? Мы хотели устроить эпикурейский ужин, и что?

Фридрих схватывает Эдди за нос и тянет его лицо вниз, к собственному члену.

– Я умолял вас по-человечески: начнем с моего члена, а он до сих пор висит! Вы что, издеваетесь надо мной?!

Липп опомнился и вырвал свой нос.

– Ну вы скотина, Фридрих! Не ожидал я этого от вас! Я забочусь о вашем здоровье, перевязываю, делаю уколы, чтобы вы не сдохли сразу, а имели возможность покушать со мной... Я педант и соблюдаю договоренность!

Фридрих ответил ударом кулака, как будто он был в добротной немецкой пивной, а не при акте самоканнибализма. Липп не выдержал, и началась драка. Сковородка с поджаренным мясом полетела на пол, опрокинулся лишний стул, Липп оказался на полу, а Фридрих машинообразно завыл от боли. Но он не мог долго напрягаться, и его энергия лопнула. Эдди встал и прибрал его к рукам. Фридрих был в экстраобморочном, где-то невменяемом состоянии. Но все время упорно шипел:

– Пожирайте меня, в конце концов, Эдди... Жрите меня, как свинья, решительно...

Липп запаковал Фридриха так, что он стал походить на забинтованный труп. Но одно место он оставил открытым для продолжения процесса. Стало тихо, как в могиле. Иногда только раздавалось чавканье. Это господин Липп жрал. И добросовестно, с безукоризненной честностью и порядочностью подкармливал Фридриха из ложки, всовывая ему в горло его же плоть. Заботливо платочком убирал с его губ кровь. Но тишина все нарастала и нарастала. Наконец Фридрих Зерц, как говорится, умер.

Убедившись, Эдди Липп включил негромко легкую танцевальную музыку.

Часть II
ДВЕ СЕСТРЫ

Глава 1

Молодая девушка лет 20 по имени Зея была довольно странным человеком, но ее странность состояла в том, что у нее не было никаких странностей, кроме одной: она не верила в собственное существование. Иными словами, она не верила в то, что она существует. Как ей это удавалось, непонятно. Дед Коля, ее полуродной дед, тайно знавший об этом ее свойстве, только разводил руками. «Понимаю, – говорил, – что иная сволочь не верит, что Бог есть, но чтоб такое выкинуть, чтоб не верить, что ты сам есть, это, знаете ли, надо уметь. Никакой мудрец древности в такой идее не разберется. А где уж мне...» И он угрюмо посматривал на свою Зею.

– Ишь живет в XXI веке, научном, можно сказать, цифровом, а сама такая ненормальная, искушенная, – бормотал он. – Мне-то что, я по уму своему в XVI веке живу, при Иване Грозном, и мне на XXI век наплевать... А она ведь молодая, ей сексом надо заниматься, а не гордость на себя напускать... Дескать, не трогайте меня, меня нет.

Дед все-таки наговаривал на Зею; сексом она занималась, но с полным равнодушием к этому занятию. Поэтому мужчины ее боялись.

Жила Зея в довольно просторной двухкомнатной квартире вместе с отцом и матерью. Дед жил внизу, на первом этаже, а она – на шестнадцатом.

Папаша – Роман Дмитрич – содержал семью в относительном достатке. Откуда шел достаток – в семье понятия не было. Считалось, что папаша ведет бизнес.

– Ворует, – ласково говорила мамаша Зеи, Глафира Петровна. – Мы как все, мы не какие-нибудь там особенные...

Сама Зея где-то там училась, правда, с таким же равнодушием, с каким она занималась сексом. Одним словом, считалось, что она учится. Но сама Зея так не считала.

Отец и мать любили ее, но как-то тупо. На то, что Зея не верила в свое существование, они внимания не обращали.

– Мало ли что она так считает. Ну и пусть. Мы ей не жандармы, – похохатывал Роман Дмитрич. – Она человек свободный. Это мы, грешные, несвободны, потому что воруем. А она что...

Дед же Коля, который любил тайны, прямо-таки следил за Зеей своим всепроникающим, но пьяненьким глазом. Он у него был один; другой глаз он давно пропил. Зачах тот глаз от водки.

– Ветровы – люди хорошие, – говорили про семью Зеи соседи. – И дед хороший, хоть и с придурью, а сам Роман Дмитрич – человек добрый. Все время хохочет. А Зея – вообще ангел, а не человек.

– Если бы она считала себя ангелом, – вздыхал дед Коля, – мы бы от радости плясали. А она одни только слова твердит: «Черт знает что». Как будто у нее никаких других слов нет. Она молчит, молчит, а я ее часто спрашиваю: «Чему ты, Зейка, в своей учебе учишься?» А у нее один ответ: «Черт знает чему». Но оценки она получает нормальные, переходит вперед. Может, скоро кончит. Научат ее черт знает чему.

Такие речи дед Коля произносил, только когда разговаривал сам с собой.

С течением времени дед Коля все более и более удивлялся своей внучке. Даже в нервозность впадал по этому поводу.

– Что ты о себе думаешь, Зея? – спрашивал он, заглядывая в нее своим единственным непропитым глазом. Он определенно хотел уже заглянуть в ее самую нежданную суть.

– Я о себе ничего не думаю, – отвечала Зея.

– Как это «ничего»? – хорохорился дед. – Ты что, сущее ничто, что ли? Как говорили в мое время в пивной? Ты человек, Зея, или кто?

– Отстань, дед, – ответила на этот вопрос Зея.

Нельзя сказать, чтобы Зея совершенно не замечала своего существования. Бывали у нее озарения, когда она это замечала. Но всегда относилась к этому факту с недоумением. Собственное существование озадачивало ее настолько, что если подвернется, бывало, в эти мгновения зеркало, то она разинет рот и смотрит на себя с таким недоумением, как будто увидела там, в зеркале, черт знает что. Подходя к огромному зеркалу в своей комнате, бросала на себя такой тяжелый взгляд, как будто хотела пригрозить себе или даже стереть себя с доски бытия.

Единственным полудругом ее в очень относительном смысле была ее двоюродная сестра Галя, аспирантка философского факультета МГУ. Та была, наоборот, довольно лихая девушка, не чуралась любовников, но от намека на замужество отстранялась, хотя к ней искренне тянулись.

Самостоятельной она оказалась и к тому же весьма по-своему образованной, что делало ее какой-то дикой среди окружающих. Зея почти ничего не понимала из того, что Галя ей говорила, когда вдохновлялась какой-нибудь идеей или исторической личностью, чаще всего писателем или поэтом. «Черт знает что», – неизменно повторяла Зея после таких рассказов. Впрочем, «черт знает что» она бормотала, даже когда глядела на дома на улице или на кошку. Но Галя ей нравилась особенно потому, что она ничего не понимала из того, чем та вдохновлялась. Но почему Галя общалась с таким существом, как Зея, тоже было никому непонятно.

Мать Гали говорила дочери:

– Мы все люди интеллигентные. Что ты с этой вселенской дурой общаешься? Неужели только из-за родни?.. Тьфу, брось!

Галя же не бросила. «Вселенская дура» тоже. Так они и ютились посреди бушующего моря событий XXI века.

– XXI век – это век смерти, – не раз говорила «вселенской дуре» Галя, свернувшись калачиком на диване и поглаживая себе голое колено. Такая у нее была привычка.

Зея неизменно разевала рот при таких словах, тем более слово «смерть» она понимала в обратном значении этого понятия. Поэтому оно слегка веселило ее. Конечно, она знала формальное значение этого слова, но глубинное его осознание у нее было шиворот-навыворот. К тому же ей казалось, что, умерев, человек даже как-то физически по-своему расцветает. Но какие цветы при этом цвели, она не ощущала.

Галя же считала, что в дурости Зеи и ее незаметности скрыт незнаемый еще смысл.

– Нам до ее дурости еще расти и расти, – мечталось Гале.

Так шли тихие, бесконечные дни, полные суматохи и борьбы за существование. И эту безмятежность прервал телефонный звонок. Сначала

Зея позвонила по своему мобильнику одному своему сокурснику по делу. Позвонила раз, другой, третий – никакого результата. Молчание. И вдруг на следующий день, утром, ей самой позвонили. Она схватила лежащий на полу мобильник.

– Я слушаю! Витя, это ты? – пропищала она.

В ответ прозвучал жуткий, бездонно-угрюмый, замогильный, хриплый голос:

– Это ты звонила мне?

Зея пролепетала:

– Да...

– Так вот, сука, если ты еще раз побеспокоишь меня, я перережу тебе горло... Ты поняла? Я пе-ре-ре-жу твое нежное горло стальным крупным ножом...

И все. Разговор окончен.

Зея бросила мобильник на пол и остолбенела, стараясь выковырять из реальности смысл этих слов. Во-первых, ей стало ясно, что она ошиблась номером, когда звонила. Голос был явно не Витенькин. У Вити был голос малюсенький, как он сам; пугливый и осторожный. Она полезла в записную книжку и убедилась в ошибке. Все перепутала. Но, конечно, приморозила ее не ошибка, а этот жуткий, как из бездны, голос и неподвижная ярость, с какой были сказаны эти слова.

И только потом до нее дошел смысл этих слов. Но этот смысл не вызвал у нее судороги животного страха, хотя бы на мгновение. Нет, этот смысл ей понравился и вызвал какое-то странное, неудержимое, по сути, любопытство. Это любопытство она почувствовала не сразу; оно постепенно разгоралось в ней.

На следующий день она не притрагивалась к мобильнику, забыла о Витеньке, но некое необъяснимое любопытство росло и росло в ней. «Что это значит для меня? – думала Зея. – Он перережет мое горло. Ну и что? Что будет потом? Вроде бы похоронят... Да глупости это все: похоронят, похоронят. Куда я денусь? Меня тошнит от меня. Никуда я не денусь. Но все же что-то со мной будет? Что? Интересно...»

Она легла на кровать и погладила свое горло. И вдруг ощутила слабую нежность к нему. Такого по отношению к своему телу она никогда не испытывала. Но вскоре это ушло. Она лежала и думала. Думала ни о чем.

Так прошло часа два в размышлениях ни о чем. Но внезапно снова, и на этот раз как-то могущественно и безудержно, внутри ее существа возникло это дикое любопытство. «Надо испытать, пусть прирежет, и что будет?» – так и катилось волнами это желание в ней.

Когда это бесповоротно случилось, она не пошла на занятия и стала бродить по своей комнате, как будто она стала Вселенной. Натыкалась порой на стулья, которые и так всегда раздражали ее, но уже с легким интересом смотрела на себя в зеркало, особенно на горло, на шею.

Сглотнула несколько раз. Потрогала пальчиками. «Люблю ли я себя или нет – вот в чем вопрос», – молниеносно возникла мысль, ей несвойственная и никогда раньше не возникавшая. И эта мысль пронзила ее, но быстро ушла и исчезла из ее сознания.

Но любопытство укреплялось. Она вышла на кухню. Отца не было – «ушел воровать», – как усмехалась ее мамаша. Сама она ушла на работу.

Зея полезла в холодильник, взяла три яйца, чтоб сделать себе яичницу. Вспомнила слова Гали: «В современном мире, в так называемом обществе потребления, люди променяли дар на яичницу».

Зея усмехнулась. «Галка всегда говорит непонятно, – проговорила про себя. – Какой Божий дар? Что это такое? Это просто черт знает что... Говорит о том, чего никто не знает».

И, усевшись на стул, стала кушать приготовленную яичницу. Кушала, как всегда, равнодушно, без наслаждения, но горлышко все-таки погладила.

Съевши, задумалась: «Я вот, к примеру, могу обменять свое горло на Божий дар. Прирежут меня, но куда я денусь? Исчезну, что ли? Так не бывает. Я какая-то постоянная... Пусть разрежет горло, зато получу Божий дар... Только что это?»

Она усмехнулась. И быстро забыла свою мысль. Но любопытство переросло в неукротимое желание позвонить этому угрюмому мужику, любителю перерезать людям горло. Взяла мобильник и долго в отупении держала его в руке, потом положила перед собой на кухонном столе и сидела так перед ним, не решаясь звякнуть.

И наконец звякнула. К счастью или к несчастью, никто не ответил. Она вышла на улицу, побродила там, зашла в магазин и все думала о мужике и своей пустоте.

И вдруг ее осенило, точно она проснулась: «Надо ему позвонить по моему домашнему телефону. Номер у него проявится, а по номеру он легко найдет мой адрес. Тогда есть надежда, что придет».

Но потом остановилась: «Как глупо! Что я за дура! Еще припрется к папашке и к мамочке! Он какой-то загадошный. Лучше просто как-нибудь договориться с ним о встрече... И приду к нему с Витенькой... Пусть нам обоим перережет глотку... Витенька, похоже по нему, будет не против...»

Наконец она снова решилась, хотя все окончательно спуталось в ее голове. Как и что решать?.. Мелькнул вдруг появившийся дед Коля и почему-то подмигнул ей. И тут же ушел, исчез.

Как во сне, отключив все соображения, она позвонила *ему* по своему домашнему телефону. И сразу – *он*. Она почувствовала его прежде, чем он что-то сказал. Ощутила по его какому-то пещерному дыханию.

– Это я, которой горло... – прошептала она.

– Ты опять? – и голос, и дыхание были воистину пещерно-угрюмыми. – Тебе что, своего горла не жаль? Мне тебя найти – раз плюнуть.

– Я хочу, – робко, даже нежно прошептала Зея, – чтоб вы это сделали. Мне интересно, что будет со мной после.

В трубке – молчание. Словно зверь озадачился. Потом слова:

– Тебе что, дура, надоело жить? Справься с этим сама. За такую работу надо платить.

– Мне жить надоело. Мне просто все равно – что жить, что умереть. Я хочу с вами встретиться, прийти к вам...

Опять молчание. И потом:

– Ты мне голову не морочь. Мы все и так живем в ненормальном мире. Тебе что, этого мало? Хочешь еще добавить сумасшествия? Отлезь, тварь...

И потом раздался хохот. Ошеломляюще-огромный, точно покрывающий собою весь мир. Точно весь мир съежился и был окутан этим хохотом, как высшим бредом.

Зее, повинуясь этому высшему бреду, тоже захотелось хохотнуть, но разговор оборвался.

Она опешила от такого приема. Ей, перед тем как она позвонила, почему-то пришло в голову, что *он* будет ласков с ней, предупредителен и исполнит ее пожелание. И вдруг такая грубость. Она всплакнула.

Опять появился дед Коля; у него были ключи от квартиры.

– Ты что, внучка, в слезах? Мужика не хватает?.. Так у тебя ж был какой-то совсем молоденький, но плюгавый... Найди себе другого дурака...

Зея не приняла его слова за слова. Так, одни звуки. Вздохнула, подумала о том, о чем невозможно думать, и сказала:

– Дедуль, ты выпить, что ли, хочешь?.. Давай я тебе налью. В холодильнике полно водки.

Потекли нежно-забывчивые дни. «День, как всегда, проходил в сумасшествии тихом», – любила в таких случаях говорить Галя, цитируя Блока.

– Галя, Галя, – бормотала Зея про себя, даже учась в своем «институте». – Надо к ней срочно сходить.

Между тем в семье дела шли успешно. Роман Дмитрич воровал так, что уже не различал, что ему принадлежит, а что нет. У Глафиры Петровны от таких успехов кружилась голова, и она забывала присматривать, хотя бы психологически, за дочкой.

– Вот и по телевизору все время твердят, – говорила мамаша, – что деньги – это все, а человек – ничто, надо все время заграбастывать любым путем и потому быть успешным и занимать положение в обществе. Ученый ты или говночист – все равно. Мы люди современные и в элите хотим быть.

Наконец, Зея попала к Гале. И прямо спросила:

– Галь, у меня есть домашний телефон одного кобеля. Можно узнать его адрес?

Галя рассмеялась.

– Конечно, можно. Какая ты неловкая. Я могу узнать... А почему он просто кобель? Что за свинство?

Зея, и та рассмеялась.

– Я только так выразилась. Он сложный для моего ума.

Через два дня Галя вручила сестре адрес. Зея окончательно задумалась.

И пошла. Одевшись попроще, еще раз перед зеркалом пощупав свою шею и не найдя в себе никакого сожаления, она вышла в безразличной решимости на улицу. Там пахло весной и слышалось щебетание.

Зея влезла в метро, вошла в вагон. Ей почему-то уступили место, и вообще, лица были на редкость милые и благожелательные, в каком-то даже тайном смысле. «Словно они не хотят, чтоб я туда шла», – подумала Зея.

Всего несколько остановок – и она вышла из подземелья на улицу, к деревьям и прохожим. Еще немного, и оказалась на заброшенной, бессмысленно-грязной улочке. «Где мой дом, откуда я сама?» – подумала Зея. Перед ней – двор, такой же заброшенный, и внутри двора – семиэтажный старый дом, неизвестно какой постройки.

Она прошлепала к подъезду. Никаких кнопок, все открыто, как в раю. «Чудеса», – подумала она.

Внутрь вела темная широкая лестница; где-то там жалась и мяукала кошка. Ни души. Ни лампочек. Ни лифта. А подниматься надо на четвертый этаж.

И вот она у двери. Грязная, многозначительная какая-то дверь.

Нажала кнопку и зевнула. Дверь заскрипела. На пороге стоял темноволосый, небритый, небрежно одетый человек лет сорока. В глубоко впавших глазах был мрак и неуловимость, запрятанность смысла. Такой человек мог быть убийцей, но мог быть и мистическим философом.

– Я пришла, – сухо сказала Зея.

– Я понял. Проходи. Нож у меня всегда найдется, – сказал мужчина. – Зовут меня Трофим.

Зея вошла. Трофим взял ее за руку, как маленькую девочку, и провел в большую темную комнату в хаосе вещей, как будто здесь всегда происходило что-то непонятное. Выделялся длинный стол у стены – с чашками, самоваром, книгами и статуэткой не то божества, не то черта.

Трофим усадил девушку тихо, вежливо, а сам сел подальше, напротив нее, словно не хотел ее заранее беспокоить.

Зея сидела тихая, где-то похожая на эту статуэтку не то божества, не то черта.

– Меня зовут Зея, – промолвила она.

– Очень приятно, Зеюшка, – ответил Трофим и добавил: – Я человек научный и потому хочу спросить вас: чем вам так наскучило ваше горло, что вы хотите его удалить? Иными словами, почему? Простите за этот детский вопрос.

– Мне наскучило быть, – ответила Зея. – С каждым днем я тупею от того, что я есть. А с перерезанным горлом я буду другая; может быть, более интересная.

– Во как! – хохотнул Трофим. – Зея, да вы настоящая поэтесса! Не пробовали писать стихи?

Зея молчала. Потом выговорила:

– У меня к вам доверие. Я ни с кем так не говорила.

– Хорошо, – и Трофим вынул откуда-то внушительной мощи стальной нож и положил его на стол. – Зея, посмотрите на него. Какая в нем сила!

Зея равнодушно взглянула. Глаза Трофима блеснули.

– Почему вы так не любите свое тело, свое горло, шею, скажем?

Зея помрачнела.

– А за что все это любить? Может быть, лучше стать другой?.. Не знаю. Мне просто любопытно.

– А по большому счету, вам все равно?

– Да.

– Может, чайку выпьете перед этим? Мне, правда, особо нечем вас угостить. Разве что пряниками.

– Я пряники не ем.

– Отличная идея: не есть пряники, – Трофим дружелюбно, но со мраком посмотрел на Зею. – Зеюшка, я могу вас прирезать сию минуту, и мне за это ничего не будет. Такой уж я человек...

– Я жду, – тупо сказала Зея, как будто речь шла не о ней, а о корове.

– Но я оказываю вам большую услугу. За любую услугу в этом меркантильном мире платят. Но мне деньги, тем более грязные, не нужны. Мне нужно другое.

– А что?

– Постарайтесь, напрягитесь, чтоб полюбить свое тело, хотя бы шею. Погладьте ее... Дело в том, что я не могу резать статую. Я предпочитаю резать живых существ. А вы – как камень. Я не камнетес... Для меня важно, чтоб был визг, страдание, живая кровь, даже истерика. Постарайтесь влюбиться в себя перед смертью... Хотя бы на мгновение...

Зея совершенно отупела от этих слов, хотя механически погладила себя по шее, но от этого ей сделалось дурно, и только...

Внезапно в комнату влетела раскрасневшаяся настоящая фурия. То была женщина лет тридцати, с распущенными волосами и с необъяснимой яростью на лице.

– Анфиса, – представил ее Трофим.

Женщина довольно близко подошла к Зее и обратилась к ней:

– Дурочка, ты, случаем, не девственница?

Зея пролепетала, что нет.

– Ну, слава Богу... Была бы девственница, по теперешним временам тебя бы в сумасшедший дом отправили.

– Анфиса, не дергай гостью, ведь она пришла по серьезному делу, – поправил ее Трофим.

Но Анфиса, вскрикнув, обрушилась на Зею:

– Так вот, слушай. Чтоб ты полюбила свое тело, его надо разбудить. Это может сделать мой могучий друг – вот он, Трофим. Его член – это не член человека, это магический корень... Как у античных богов.

Зея всхлипнула.

– Что вы ноете?! Если вы жаждете, чтобы он перерезал вам горло – пусть перережет, эротике это не мешает. Ваша голова будет валяться в стороне, а тело будет биться в судорогах истерического наслаждения. Наслаждения, которое может быть только на небе.

Зея выпучила глаза.

– Вы сочиняете. Это несбыточно, – уронила она слова.

Трофим тихо, но с достоинством улыбался. Впрочем, доброжелательно.

– Все сбыточно! – прикрикнула Анфиса. Глаза ее с выражением глубокого понимания зла так и впились в Зею. – Может быть и иное. Сперма Трофима – это живой огонь, огонь жизни. Он трахнет вас мертвую.

– Это как?

Анфиса взбесилась:

– Вы что?! Не знаете?! Как только вы умрете, он вас трахнет.

– И что будет?

– А будет то, что вас похоронят. И через девять месяцев в могиле, в гробу, вы родите существо... Ровно в срок некие парни выкопают это существо из могилы. И у него будет шанс стать мессией мертвых, богом ада. А вы будете лежать с выпученными в саму себя глазами.

– Я поняла. Это произойдет во сне.

– Главное, что это произойдет... Может, выпьете чайку, милочка?

Зея опустошенно взглянула на нее.

– Как я могу пить чай после всего, что вы мне наговорили?

Наконец включился Трофим.

– Зея, это необязательно. Конечно, я могу вас трахнуть хоть сейчас...

– У меня есть Витенька, – возразила Зея.

– Тем более. А потом, этот способ не всегда убедителен; это момент, а потом... Бывают душевные травмы, разочарования. А мы ищем вечное. Попробуйте возлюбить свое тело просто так. Иначе мне будет скучно перерезать вам горло.

В это время послышались звонки в дверь.

– Гости идут!!! – воскликнула Анфиса.

Вошли несколько человек. «Все такие интеллигентные, точно из университета», – подумала Зея.

На Зею никто и не обратил внимания, будто ее нет. Накрыли на стол.

В ауре комнаты все как-то переменилось, стало чуть-чуть светлей. Толстый гость по имени Евгений, средних лет, уселся рядом с Зеей.

– Теперь, Зеечка, будем пировать, – подмигнула ей Анфиса.

Толстячок налил Зее водки, почему-то, как Анфиса, подмигнул ей и спросил:

– Девушка, когда и где вы, такая детская, выползли на этот свет?

Зея тупо ответила.

– Ах, вот как! А я выполз немного ранее... Вот тогда-то нам и надо было познакомиться.

Зея ничего не поняла, вдруг хихикнула и даже погладила свою шею.

Пиршество стремительно развивалось, но на Зею напал вдруг испуг. Она умоляюще посмотрела на Трофима, в котором видела своего спасителя. Трофим быстро разобрался и проводил ее до двери.

– Работайте, – шепнул он ей в ухо. – Приходите, когда полюбите. Если нужны консультации – я ваш...

Зея пришла домой разбитая, расстроенная. Не знала, как теперь понять собственное тело. Легла на кровать, задумалась. «Отец ворует, мать работает; одна я неприкаянная. Хоть стихи пиши... Пожалуй, только Галя может что-то посоветовать. Витенька не в счет, он у меня правильный, но от этого глупый».

И она с биением в сердце позвонила Гале.

– Приходи завтра в шесть, – брякнула сестрица.

Зея положила трубку и неуверенно решила: «Про всю историю рассказывать как-то не того. Сочтет ненормальной. Но о теле можно посоветоваться».

Беседа «о теле» состоялась на следующий день. Галя, как всегда, лежала на диване в халате; рядом, на столике – чашечка кофе. Зея села на стул рядом. И начала свою повесть о том, что она не любит и не понимает тело, и вообще, зачем оно.

Галя не удивилась.

– От тебя иного и нельзя ожидать, Зея, – сказала она, отпив из чашечки и положив головку свою на маленькую подушечку, нежно лежавшую на огромной пуховой подушке. На подушечке был рисунок: некая сказочная женщина гуляет по саду и держит в руках кубок, видимо, с вином.

Галя продолжала со своей подушечки:

– Я все поняла; твою просьбу, в смысле. Я знаю, что в твоем теле почему-то не возникало всяких страстей и причудливых ощущений. Но не тут собака зарыта. Это все, в конце концов, рано или поздно само возбудится.

– А мне противно, – упрямо возразила Зея.

Галя даже приподняла головку:

– Я тебе совсем о другом хочу сказать. Это хорошо, но есть опасности...

– Что такое? Опять черт знает что?

– Нет. То, что я тебе скажу, тебе надо осмыслить и только потом, так сказать, действовать. Итак, пойми следующее: твое тело – это форма твоего бытия, твое бытие. Я не говорю сейчас о душе, о сознании. Пока о теле. Опусти свое сознание в тело, как бы войди в него своим «я» – и ты увидишь, осознаешь, какое это богатство. Оно прекрасно не потому, что красиво, не потому, что оно в движении или что с помощью тела что-то совершается. Оно прекрасно внутренне, по ощущению, что это твое бытие, пусть даже оно внешне уродливо. Но это твое бытие. Все остальное – не твое. Ощущай, чувствуй это бытие каждой жилочкой своего тела, каждой клеточкой, каждым изгибом, каждым движением крови в себе, дыханием, всей нежной дрожью. И ты почувствуешь, что это целая вселенная родного, бесконечно родного бытия... И тебя охватит поток дикого счастья, нежности до утробной глубины, до последней дрожи...

Галя даже слегка взвизгнула в конце...

Зея слушала, разинув рот.

– Черт знает что, – проговорила она, опустив руки.

– Не черт знает что, а блаженство. Постоянное блаженство, потому что твое тело всегда с тобой, где бы ты ни была. Надо только научиться его осознавать по-иному, не просто как тело, а как форму твоего внутреннего, особого бытия. Ну, до тебя дошло наконец?

Зея на этот раз не сослалась на черта, а задумалась.

– Как же это сделать? – спросила после раздумия.

– Ты моя сестра, пусть и двоюродная. В тебе моя кровь. В конце концов, несколько сеансов, и все. Я научу тебя, как медитативно погружать сознание в тело... Как наполнить его неким таинственным инобытием своего «я», своего сознания...

– Я ничего не понимаю, о чем ты говоришь. Ты философичка, изучала философию, а я простой, глупый человек, как все...

– Я тебе помогу. Сейчас, я вижу, тебе противно даже касаться своего тела. А тогда любое прикосновение к нему будет вызывать бесконечное, беспорочное блаженство. Ты коснешься рукой своей нежной шеи и замрешь от блаженства, от чувства «я», ясности в своем теле... Тихое блаженство, не такое, конечно, какое может быть в самом «Я», в чистом сознании...

– Ты опять говоришь о том, что никто не может понять... Слова простые, а понять невозможно, – прервала ее Зея.

– Ладно. Хочешь, начнем сеансы? Хоть завтра.

Зея вздохнула.

– Я поняла одно, что после всего этого я смогу полюбить свое тело, особенно шею, горло. Так?

– Естественно. Ты будешь любить свое тело как некое тайное, пусть временное, сокровище.

– Опять ты говоришь о непонятном? Ты прямо скажи: полюблю или не полюблю?

– Полюбишь, еще как полюбишь... Только при чем здесь шея? Это, конечно, трогательная часть тела, но речь идет обо всем теле...

Зея замотала головой.

– Тебе этого не понять, – съязвила она.

Галя расхохоталась и нежно погладила свою шею.

– Приходи. Но тебе придется напрячься умственно. Тело – это не кусок мяса, оно одухотворено духом жизни, исходящим от нас, из наших духовных глубин...

– Я описаюсь от таких речей, – возразила Зея. – Ничего не понимаю. Но приду.

И она пришла.

С медитацией и с проникновением осознанного самобытия в тело возникли, казалось, непреодолимые трудности. Зея все время грозилась описаться и потом на сеансе один раз действительно обмочилась.

– Трусики высохнут, – обозлилась Галя. – Но с головой у тебя плохо. Медитация недоступна тебе. Ты просто, как дура, засыпаешь... И вот совершенно неадекватная реакция на мои слова... Я сейчас дам тебе мои трусики...

Галя вышла и через минуты три вернулась с трусами. Зея расплакалась.

– Ладно, не хнычь... Я тебе их дарю... Ну неужели ты, просто прикоснувшись рукой к своему телу, к коленям, груди, животу, не чувствуешь нежности, какого-то элементарного чувства... Это ж твое тело, а не черт знает что, как ты говоришь, когда речь идет о твоем теле. Так нельзя жить – принимать свое тело за «черт знает что». Я бы сошла с ума.

Зея только всхлипывала. И вдруг ее прорвало. Нет, с медитацией, как всегда, было плохо, но вдруг она почувствовала нежность к своему телу и разрыдалась.

– Теперь я чувствую, – бормотала она сквозь слезы. – Это ведь жизнь...

И она с чувством прикоснулась к своей шее и сглотнула слюну, чтобы ощутить существование своего горла.

Дальше – больше. Зея уже вовсю чувствовала удовольствие от существования своего тела, особенно горла.

– Ну, пусть хоть так, – развела руками Галя. – Вот когда будешь падать в обморок от простого факта существования себя как тела, то я скажу: это прогресс. Но метафизическая глубина этой ситуации тебе недоступна. Так что можно на этой стадии закончить. Обойдемся даже без обмороков, а то еще ушибешься, хотя душа тело в таком случае охранит...

– Я как бы рада, – ответила Зея. – Но, знаешь, в душе-то пусто. Ни туда ни сюда. Вообще-то мне, по большому счету, по-прежнему безразлично, живу я или не живу. Я раздвоилась; ну, тело как бы жалею, а себя – нет. Мне все равно.

Галя опять раздражилась слегка.

– Это совсем из другой оперы. Я и так столько потратила сил, чтоб разбудить твое тело... Но с душой я не справлюсь. Над душой только Бог хозяйствует. А я сейчас уезжаю с дружком отдохнуть чуть-чуть.

– Ну, хорошо. А ты мне скажи прямо, по совести, где лучше – на этом или на том свете?

Галя расхохоталась.

– Как и здесь; кому как. Кому бублик, а кому дырка от бублика, как сказал великий поэт. Ты меня умиляешь, сестренка.

– Но все-таки. Скажи серьезно. Говорят, что там спят.

– Смерть есть сон. Это верно. Другой великий поэт написал:

К дивному милосердию
Склонен Отец Небесный,
Он защищает смертию
Нас от всесилья бездны.

– Вот это да! – Зея разинула рот.

– Действительно, «да»! В большинстве случаев душа, постепенно освобождаясь от своих оболочек, не только от физического тела, входит в состояние и спит, как в коконе, в другом пространстве, в другом мире до такого явления, как Страшный суд. На самом деле суд состоит в том, что свет, духовный свет, придет в мир, и тем, кто не подготовлен к жизни Духа, тем будет очень плохо.

– Опять ты меня пугаешь!

– Да это я не от себя говорю. Это известные вещи. Зея, если ты серьезно, я приду и помогу тебе в этом плане. Просто направлю тебя к знакомому священнику. Душа – это не тело.

– Да плевала я на свою душу. Неизвестно еще, есть она или нет. Может, она издыхает со временем, как и тело.

– Не говори чушь.

– Но вот что спят, как в коконе, – это хорошо.

– Еще бы. В этом случае бездна не захватит и не унесет; если душа благополучна...

– Не пугай.

– Ты разберись сначала с телом, а потом поговорим.

– Хорошо. Спасибо тебе, Галя, что ты обошлась со мной как с сестрой, а не как с чучелом.

– Наконец, кончай учебу, выходи замуж и рожай. Поможет.

– Не скажи. Одно мучение. Кто от меня такой может родиться? Так, пузырь какой-нибудь. И ему мучение, и мне.

– До того приведи себя в порядок. Или даже в хаос. Лучше, чем твое эдакое теперешнее состояние.

– Да я уже теперь на тот свет хочу. В кокон. Поспать.

– Не лезь, куда не знаешь. Сон, он разный бывает. Живи!

На этом разговор и сеансы закончились. Зея как бы оживилась, а Галя уехала.

После всего случившегося Зея ушла в раздумья. «Ехать к Трофиму или нет?» – спрашивала себя. Между тем и учеба была в относительной заброшенности, и остальная жизнь плыла, как призрак. Но к телу уже пробудился интерес.

Сидя перед зеркалом, рассматривала себя, гладила свои ладони, руки, чувствуя их внутреннюю отдачу.

– Это же мое, – с недоумением шептала сама себе.

Руки даже начинали слегка дрожать от этой мысли. «Ну, хорошо. Как будто это я. Мне приятно. А что дальше?» – думала она. «Что дальше» – Зея не знала. В душе по-прежнему оставалась сонная пустота. Однако тело понемногу нежнело и оттаивало.

Однажды днем она вышла на улицу, желая выйти из своего неопределенного состояния. Вышла, посмотрела вокруг и, как всегда, удивилась.

– Ну и ну, – проговорила она вслух, посматривая на дома. Мальчишка, пробегавший рядом, захохотал.

Тогда Зея решила выпить пива. Благо недалеко, у почты, виднелась полупивная с разливным пивом.

В полупивной было грязно. Народ толкался мирской, но к пиву относились с пониманием. Какой-то нелеповатый старичок покрикивал, что он уже в раю, и хлестал кружку за кружкой.

Зея к пиву относилась с осторожностью. Выпив, назрело решение, что пора решать насчет горла. Надо звонить Трофиму, чтобы назначить встречу.

Набрала домашний номер, не выходя из распивочной. К телефону подошла Анфиса.

– Ну как же, помню, помню, Зеечка. Вы по поводу ножа и горла... Да, да. Конечно, приходите. Мы у вас не отнимем много времени. Завтра к семи, – слушала она голос Анфисы с явно ласковыми, миролюбивыми интонациями.

Зея погладила горло, но прийти захотелось.

Она пришла на следующий день, поздним вечером. Нажала заветную кнопку. Дверь открыл Трофим. С торжественной улыбкой позвал вглубь. Он провел ее в небольшую темную комнатку, заваленную книгами. У стены – широченный диван, рядом стол, стулья, шкаф с непонятными предметами.

Трофим усадил Зею в одинокое кресло рядом с диваном, сам сел напротив и наконец вымолвил:

– Как состояние? Готовы?

– Как бы...

– Есть к своему телу нежность?

– Как будто.

– Спустите чулок и прикоснитесь рукой к голому колену.

Зея исполнила.

– Теперь мягко поглаживайте рукой колено.

Зея стала исполнять.

– Что вы чувствуете?

– Мне приятно.

– До какой степени? Чувствуете ли вы истому в сердце?

– Нет, нет, – удивилась Зея.

– Нет так нет. Но сдвиг есть. Это видно и по вашему лицу... Ваше тело ожило...

– Ага.

– Ну, так приступим к делу, золотко. Какой нож предпочтете?

И Трофим положил на стол взятые откуда-то исподнизу два серьезных, точно созданных для смерти, ножа. И тут Зея закричала, даже с визгом:

– Не хочу, не хочу!

Трофим всплеснул руками:

– Браво, браво! Наконец до вас дошло. Поздравляю!

Зея выпучила глаза:

– Разве это я завопила «не хочу!»?

– А кто же?

– Мне стало страшно. Не за себя, а за горло. Мне чево, я – ничто. А из горла – кровь, боль. И вообще.

– Поздравляю. Особенно с этим «вообще»... Ну, что ж... Не хотите – не надо. Насильно мил не будешь...

Воцарилось глубокое молчание. Зея в раздумье погладила свое колено. И потом сказала:

– Жалко. Но тело просит: «не надо»...

– Могли бы и ослушаться, – съязвил Трофим.

Зея развела руками. Трофим помолчал и спросил:

– Зеечка, вы действительно не сомневались или, точнее, верили в то, что я могу вот так просто вас зарезать? К тому же за это полагается большой срок...

Зея опять впала в легкое раздумье.

– Почему нет? Жизнь, она на сон похожа. А во сне все может быть. Я надеялась, что и вы во сне. Сомнение слегка навеяла Анфиса своим криком... Но все равно я как-то верила в вас. Меня что-то тянуло к вам, это было помимо меня, я думала, вы можете зарезать.

Она чуть-чуть всплакнула.

– Дорогая, – Трофим вскочил со стула. – Я утру ваши слезы. В конце концов, все поправимо...

– Я уже не хочу, – глухо ответила Зея.

– А на диванчик лечь хотите?

– На диванчик хочу.

И Зея прилегла.

– Зея, я восхищен вами, – начал Трофим. – Ваша вера в мои возможности как убийцы вдохновила меня! Поверьте! Вы озарили меня! Скажу прямо: я люблю вас, точнее, не столько вас, сколько вашу веру в меня...

И он присел на диван и поцеловал Зею в губы. Зея не сопротивлялась, хотя поцелуй был холодный, как сама смерть. Может быть, именно поэтому она не сопротивлялась. Но когда Трофим овладел ею, он почувствовал, что соитие происходит не с женщиной, а с покойницей. Зея лежала безучастно, как мертвая. Это ошеломило Трофима, и он был близок к тому, чтобы дико расхохотаться. Но вдруг он ощутил, что волны наслаждения прошли по ее телу...

...Закончив роковое соитие, оправившись, Трофим опять присел к лежащей недвижно Зее. Трофим сам смотрел на нее каким-то неподвижным взглядом.

– Ну, как, тебе было хорошо?

Зея медленно ответила:

– Ну, да... Мне было приятно... Я лежала и считала в уме до ста, а потом опять считала, как бы ожидая, когда вы кончите... Я часто так делаю; например, с Витенькой...

Трофим хохотнул и успокоил ее:

– Это большое достижение. Слава богу, что ты не заснула. Тебе же было приятно?

– Да... А раньше безразлично.

– Вот видишь.

...Наконец Зея уселась за столик.

– Чаю! – попросила она.

Трофим ласково напоил ее чаем и сказал:

– Ну, теперь иди себе с богом. И всегда думай, переживай нож, направленный в твою плоть. В твою, в ней живешь ты. Тогда страх оживит тебя, ты будешь ощущать дрожь своего тела, и эта дрожь будет всегда с тобой, и ты за это полюбишь свое тело неземной любовью... Ха-ха-ха!

– Все поняла, кроме последней фразы.

– И не надо ее понимать. Не дай Бог, совсем с ума сойдешь.

Зея встала.

– Я приду домой и все равно не буду знать, куда деться. На душе все равно бездушно. Пусто. Зачем все это?

– Что «все это»?

– Жизнь, мир весь, что это за чудо-юдо и чушь какая-то... Плоть приятна, а дальше что? Пить чай тоже приятно. У меня на душе даже тоски нет. Ничего нет...

Трофим вздохнул.

– Экое ты существо эдакое... Хорошо. Я познакомлю тебя с другим существом, которое научит тебя душе. Жди моего звонка.

У порога Зея обернулась и попросила Трофима:

– Дай мне твой нож, которым ты мог меня зарезать. Я его поцелую.

– Рано, рано еще, Зеечка. Пока иди себе с Богом. Вечер утра мудренее.

И Зея скрылась за дверью.

...Зея пришла домой, вошла в свою комнату и первое, что сделала, погрозила себе в зеркале кулаком. И только потом легла спать.

Сквозь сон ей слышались бесконечные звонки по телефону. Звон прекращался, сразу возникал другой, и так друг за другом, звонки за звонками. За всю прошедшую жизнь ей не звонили столько. Ей казалось, что ей звонят с того света. Но она не очнулась, не встала и не подошла к телефону.

Глава 2

Прошел месяц. Весна уже распустила свое тепло. Родители Зеи укатили на юг – отдыхать и залечивать нервные срывы. Зея осталась одна и продолжала ждать звонка. Да, отношение к своему телу у нее изменилось слегка. Пропал жутковато-тяжелый взгляд, каким она смотрела на себя в зеркало. Она даже с любопытством поглядывала на себя. Тело уже было не «черт знает что», а как бы своим. Иной раз глянет Зеечка на себя в зеркало и даже хихикнет от скромного, непорочного удовольствия.

Галя, с которой она однажды встретилась, только качала головой: «Зейка, прогресс-то малюсенький, но лучше хоть что-то, чем ничего... Разве так обожают свое тело? Смотри у меня!»

Единственное, в чем был значительный прогресс, так это в отношении к своему горлу. Зея даже поглаживала его порой, и возникал легкий страх за его судьбу. Где-то на периферии сознания брезжил некий интерес к смерти и к покойникам. Но в основном, в центре ее бытия, было по-прежнему мертво. Было впечатление, что когда она более или менее родилась, душа ее остолбенела от всего увиденного и так и осталась остолбенелой по сей день.

Наконец звонок раздался. Хриплый, как будто с того света или из тюрьмы, голос Трофима произнес:

– Послезавтра к часу дня приходи. Тебя там ждут.

И он назвал адрес дачного поселка, улицу, номер дома.

– Скажешь: «Я Зея от Трофима».

Зея стала что-то лепетать, но Трофим прервал ее:

– Лепетать не надо. Просто поезжай. От Анфисы тебе привет и жалость.

И повесил трубку.

Зея вздохнула, обрадовалась. Другая испугалась бы ехать неведомо к кому за город. Да еще при наличии в стране развитого криминала. Но Зее вообще был чужд всякий страх. «Чего мне бояться, когда меня нет?» – один раз мелькнула в ее душе такая мысль. С тех пор ей все было по колено. Не мужество, конечно, а просто безразличие ко всему, что с ней будет. Правда, горло она слегка жалела.

В назначенный день она встала рано, попила чайку, и опять ее потянуло посмотреть на себя в зеркало. «Это я, – удивилась она. – Какая все-таки чушь».

...Ехать пришлось на электричке, минут сорок, однако. Мелькали забытые людьми, но не Богом, поля, леса, брошенные деревушки. Напротив Зеи сидел старичок, который с диким недоумением смотрел на нее и хотел, видимо, что-то спросить, чтобы рассеять недоумение свое, напрягался, но почему-то молчал, не смея выразить, что за загадка у него на уме.

...Станция оказалась пустынной, домишки шли куда-то вглубь, уютные до бреда.

Наконец она нашла домик. Дачка как дачка, а не как нечто неописуемое. Калитка, палисадничек, травка, окошечко, только кота не хватает в нем...

Постучала, нажала кнопку около мокрой двери. Открыл ей эту дверь совершенно дикий человек лет около 29–30... Волосы взлохмачены, рубашка вот-вот слетит с его тела, взгляд смотрит куда-то далеко, невесть куда, но в то же время неподвижен, словно зафиксирован на каком-то видении. Длинные руки, словно крылья. «Такой убьет и не заметит», – подумала Зея.

Он представился:

– Судорогов, – проговорил он. – А вас мы ждем.

– Я Зея.

– Проходите.

И Судорогов неожиданно погладил Зею по головке своей длинной, белой, исхудалой рукой. Зея от непонятливости спросила:

– А почему у вас такие исхудалые руки?

– От тоски.

И он повел своею тоской Зею внутрь, и внезапно, когда Судорогов распахнул в темноте какую-то дверь, Зея оказалась в большой до нелепости комнате, где за столом, как на Страшном суде, сидело рядком довольно много людей. Зея оледенела, и наконец-то вдруг внутри что-то екнуло, словно ей предстояла жизнь, похожая на смерть.

– Теперь это ваше общество, Зея, – проговорил Судорогов. – Сейчас к вам подойдет главный.

Из-за стола вышел сидящий в простом кресле грузный человек лет тридцати двух, не больше, чернобородый, и вид у него внешне был как у разбойника, если бы не глаза, горящие черным светом, изумительно проницательные. Он подошел к Зее, сказал «милости просим» и предупредил:

– Мы вас не съедим. Знакомьтесь с каждым.

Зея полумеханически подошла к столу. Отчего она остолбенела и обалдела, она не понимала. То ли люди были такие, то ли что-то невидимое и запредельное носилось в этой комнате, не раскрывая себя.

Поразил ее карлик, горбатенький, в правом конце стола. «Горбатенький, а такой веселый. Странно», – подумала она.

– Рудик, – жизнерадостно прошипел он.

Потом улыбнулся некто, похожий на доктора Фауста. Правда, Зея понятия не имела о Фаусте, но это было неважно.

– Марк Борисов, – представился он, из всей компании, пожалуй, самый нормальный на вид. В очках, среднего роста, в молодых довольно летах, меньше тридцати. Но взгляд жесткий.

Следующий за столом взглянул на Зею и, не говоря ни слова, вышел из комнаты, никого этим своим поступком не удивив. Зея коснулась рукой своего горла.

Навстречу ей поднялась молодая женщина, относительно высокая, гибкая, словно змея. Впрочем, глаза ее были совершенно отрешенные.

– Евгения Михина, или просто Женя, – сказала она. – Не бойтесь, Зея.

От этих предупреждений Зея приуныла.

– А как вас зовут? – бестолково обратилась она к тому, кого Судорогов назвал главным.

– Разве я не представился? – ухмыльнулся главный. – Никаноров Лев.

Зея обвела комнату взглядом. «Ну, всего было шесть человек, один вышел, – мелькнуло в голове Зеи. – Почему ж мне показалось, что их много?» Ее усадили за стол.

На самом столе было необычно: всего три бутылки с вином, хлеб, что-то еще; очень скромно, но много книг, лежащих около бутылок. Зея взглянула на название одной из книг, но ничего не поняла, даже голова заболела от странности. Ей было неловко, а главное – непонятно, что с ней будут делать. Вокруг вроде бы не мордовороты, люди начитанные, обещали не съесть, но вообще, может быть все что угодно. Зея в принципе давно уже считала, что мир – это черт знает что, и от него можно ожидать всего, что и в голову не придет. Могут укусить на улице, а могут расцеловать, да еще не просто расцеловать, а зацеловать. Были такие случаи. Могут деревья сдвинуться с места и пойти на людей, и запросто может быть всеобщая война внутри человечества. Может и все человечество разом, одновременно сойти с ума, со всеми необъяснимыми последствиями. Но может быть и вечный порядок. Но раньше ничто не удивляло и не пугало ее, а сейчас сердце почему-то екнуло, и она стала поглаживать свою шею, горло, так сказать. «Главное, чтоб не съели», – подумала она.

– Что вы так волнуетесь о своем горле? – вдруг спросила ее та гибкая молодая женщина, которая назвалась Женей.

Зея вздрогнула.

И вдруг дверь в комнату распахнулась, и вошла Галя, ее сестра.

«Это конец, – подумала Зея. – Вот она какая на самом деле».

Галю приветствовали. Она, нарядненькая такая, подошла к сестре и положила ей руку на плечо:

– Зея, видишь, ты в руках друзей и даже родственницы. Ничего бредового с тобой не будет.

– Что мне делать?

– Ничего, – шепнула Галя. – Просто присутствуй. Ешь, пей немного и слушай, о чем говорят.

– И что?

– Старайся не то что понять, о чем говорят, это невозможно для тебя пока, но вслушивайся душой в слова, входи в них, все равно ведь кое-что поймешь. Хотя бы формально живи среди нас. Проживешь здесь дня три, и мы увидим результат.

– А ты?

– Я здесь. Ночевать здесь буду. И я всегда готова тебе помочь.

У Зеи немножко отлегло от тела; она ошарашенно огляделась вокруг. Не было пения птиц, но что-то высокое носилось в воздухе. Но не только высокое, а больше непонятное.

Галя позаботилась накласть ей в тарелку салат, как дурочке, поцеловала в щечку и прошипела:

– Внимай!

А сама улепетнула поближе к Борисову и села с ним рядом. Два места пустовали, потом, после Зеи, на некотором расстоянии – Евгения Михина, она явно тяготела к Судорогову. Где-то приютился веселый Рудик. А как бы в центре царил чернобородый Лев Никаноров. Около него появилась лишняя бутылка, но алкоголь (его было немного) сам тонул в каком-то экстазе бытия и как таковой не чувствовался.

Зея послушно вслушивалась. Но в потоке слов, льющихся со всех сторон, она сначала различила всего несколько понятных ей. Остальные она слышала впервые. Видимо, это было что-то философское, специальное, тем более Галя ей подмигнула. Но потом пошло нечто более или менее доступное, хотя не всегда и не совсем, но произносимое с какой-то горячностью, как будто речь шла о жизни и смерти.

Слова вылетали яростно, как пули, с разных сторон; на Зею никто и не обращал внимания. Какие-то понятия и словосочетания были ей совершенно непонятны, тем более смысл фраз, но кое-что как будто доступное против ее воли врезалось в память и ошарашивало:

– Надо познать себя, раскрыть до таких глубин, чтобы дьяволу было тошно от нас и он в ужасе бежал бы от человека...

– Ад и рай должны заключить союз между собой, чтобы понять Всевышнего!

– У смерти благостное лицо!

– Замысел Божий о человеке состоит в том, чтобы создать существо, превышающее Его Самого... Такова великая тайна создания человека.

– Да вы что? С ума сошли? Какая наглость! В аду пожалеете о такой вере!

– Это только Судорогов мог такое сказать... А звучит заманчиво!

– Все, все может быть! Самое безумное осуществится, ибо Бог всемогущ! – защищала своего Судорогова Женя Михина. – Мне давно во сне кажется, что я уже не я, а что-то такое необъяснимое!

– Водки, водки! – вдруг закричал из своего угла Рудик. – Водки!

Ему налили.

– Хватит бреда! – прервала Галя. – Можно же быть немного поскромнее и считать человека просто образом и подобием Божьим...

– Много тысяч лет назад, еще до прихода Христа, – торжественно произнес Лев, – существовал текст, кажется, на санскрите, который гласил: «Люди будут летать на железных птицах, но дела их будут злы, и они отойдут от религии...» Вот такой текст появился в глубинах древнего мира... Люди отойдут от религии и, следовательно, от веры в бессмертие души. Иными словами, они отойдут от себя, от веры в себя и станут пародией на человека.

В это время внутренние двери отворились, и вошел молодой человек, который покинул эту комнату, как только Зея вошла.

– Они будут грызть стенки своего гроба, который они сами себе сколотили из своих удушающих воззрений на жизнь. Будут грызть и впитывать в себя яд, от которого все больше и больше мертвеют. Гроб – их вечный дом, – изрек он.

– Кто это? – тихо спросила Зея у Жени.

– Поэт, – ответила та. – И одновременно социолог. Вот какое необычное сочетание.

Зея абсолютно обалдела; весь этот поток мыслей, слов всколыхнул ее всю, вытащил из вечного покоя. Душа ее, ничего толком не понимая, стала содрогаться и метаться в каком-то ступоре. Сильно действовал на нее и вид этих людей. Ничего подобного она не переживала.

– Современная цивилизация – это чудовище, пожирающее людей, это главный поставщик человеческих душ в ад или в другие низшие жутковатые обители. В этом ее главная функция и высшая задача, о которой сами создатели этой цивилизации не имеют никакого представления. Они тоже жертвы. Чудовище злобно, кровожадно и доведет нашу планету до бунта против людей. Планете ничего не стоит смыть этот высокомерный в своем идиотизме мир...

— Россия духовно никогда не поддастся этой цивилизации. Внешне, частично, поверхностно — да, но по сути — никогда. Все это временно и будет сброшено в пучину времен.

— Водки! Водки! Водки!

Поток какой-то предсмертной горячки продолжался и продолжался.

— Бессмертия! Бессмертия! Вот подлинный нерв этой жизни! Я хочу жить вечно! Вечно, вечно, вечно!

— Не сходите с ума! Все мы жаждем жить бесконечно! Жить; жить и быть! Но в этом мире такое невозможно. Да вы околеете от скуки, если будете здесь лет 500. Здесь нет условий для бессмертия, для вселенской широты. Нужна вселенская Россия!

— Главное — при переходе в лучший мир сохранить непрерывность сознания...

— Бросьте, чего захотели... Небольшой перерыв нестрашен...

— Здесь нужно жить так, чтобы душа была шире земного шара... За жизнь, за любовь, за бессмертие!

— Пусть Вселенная провалится, а чтоб бессмертие было...

— И крыса хочет быть бессмертной... Ха-ха-ха!

— Водки, водки, водки!

Я буду мертвый – с лицом подъятым.
Придет, кто больше на свете любит:
В мертвые губы меня поцелует,
Закроет меня благовонным платом.

– Жажда жизни во мне больше, чем жажда водки!

– Смерть – это только форма жизни... Той жизни, которой не может быть на земле, в видимом мире...

– Хватит философского безумия, пора переходить к смыслу конкретных и современных, в некотором плане, пророческих стихов...

– Предложите! Мы слушаем.

Никаноров взял слово. Каким-то глухим голосом, словно не отсюда, он прочел:

Кто украл мою голову в вечность?
Кто целует цветы по утрам?
Кто танцует в тоске бесконечной
На полях, в городах, по лесам?
Это хаос, великий и страшный,
Расползается, пляшет, визжит,
А у гроба таинственно-мрачный
Сверхпокойник в сиянье стоит.

Зея остолбенела и ополоумела в то же время. Вдруг все в душе ее, то, о чем она и не подозревала, всколыхнулось и забредило в дикой тоске. Впервые страх объял ее. Чудовищно-загробный образ сверхпокойника вошел в ее существование, в ее ум, и она не знала, что с этим делать. Она не могла понять, что это такое – «сверхпокойник», но чувствовала, что это нечто ужасающее. Голова, унесенная в вечность, вой дикого, безумного хаоса, разрывающего самое себя – это куда ни шло. Но «сверхпокойник» – что это? Может быть, есть сверхсмерть?

Вместе с хаосом унесся и покой ее души. Внезапно дверь в комнату отворилась, и вошел *он*. Сверхпокойник, – дрогнуло в уме Зеи, когда она взглянула на пришельца.

С виду это был человек худой, высокий, словно с замороженным лицом, белым как смерть, с высоким лбом и остекленевшими, но мертво-выразительными глазами.

– Как будто покойник смотрит на нас, – ахнула, подумав, Зея. Она обратила внимание на то, что все остальные за столом притихли.

Вошедший был действительно жуток. Жуть точно исходила из его нутра. Ощущение было, что это как будто труп, оживший, но вошедший не в жизнь, а в какое-то иное измерение, к нашей жизни не имеющее отношения. Никаноров привстал и проговорил:

– Афанасий, садись тут рядышком.

– Кто он? – тихо спросила Зея у сестры.

– Человек, – ответила Галя.

– Не может быть.

Галя как-то пристально посмотрела Зее в глаза.

– Именно человек. Зея, пойми, что человек – центр мира. Он может быть кем угодно, оставаясь человеком. Он может быть божеством, образом Божьим. Он может быть античеловеком. Он может быть страшен. Да, человек может быть страшен. И не походить ни на черта, ни на человека. И быть даже непознаваемым существом.

Зея отшатнулась. Вдруг она стала понимать, ощущать то, что, видимо, раньше дремало в ее душе. Она громко ахнула.

– Тише, – оборвала ее Галя. – Видишь, Афанасий подходит к столу.

Афанасий сел. Рудик было выкрикнул: «Водки, водки!» – но его одернули. Воцарилась тишина. Вдруг Судорогов закричал:

– Уберите его, уберите!

В ответ Афанасий запел.

Песня, которую он пел, была интересной, захватывающей, задушевной даже, но абсолютно бредовой, по крайней мере, с точки зрения человека. Может быть, с какой-то иной точки зрения, далекой от человеческой, в ней и был смысл и даже мистическая глубина, но до присутствующих здесь, в уютно-огромной даче под Москвой, никакой смысл не доходил. Но слушали все с уважением.

Когда Афанасий закончил, глаза его остановились на самом себе. Зея подсела к Гале и шепнула:

– Галя, я все теперь понимаю. Он – сверхпокойник. Понимаю в этом стихе все – и про голову, и про вечность, и про хаос, и про то, что он таинственно-мрачный. Но одного у Афанасия нет – сияния... Почему он не сияет?

Сияния действительно не было.

Галя посмотрела на сестру радостно-изумленным взглядом и шепнула:

– Зея, ты пробудилась! Потом поговорим.

За столом молчали. Афанасий вдруг обвел всех присутствующих остолбенелым взглядом и сказал довольно ясно и определенно, будто он был человеком:

– Не целуйте живых, от них пахнет трупом. Целуйте мертвых, от них пахнет жизнью.

Никакой реакции от присутствующих. Но Лев вдруг прервал молчание:

– Мы тебя любим, Афанасий. Ты знаешь это. Хотя, может быть, ты не нуждаешься ни в чьей любви. Хочешь, отдохни наверху, в своей комнате. Даже тем, кто целует мертвых, нужен отдых.

Афанасий внял этим словам. Он, высоченный ростом, грузно и странно встал, пробормотал, что он-де любит даже живых, и опять запел. И такой, певучий, он медленно вышел из комнаты.

Зея хотела спросить что-то о нем, но все вели себя так, будто ничего экстраординарного не произошло. Разговор за столом неожиданно пошел в совершенно светском, спокойном направлении, без истерик и надрывов. Плавно этот Сверхпокойник успокоил всех и вернул их к так называемой нормальной жизни.

В конце концов произошло положенное чаепитие, и потом надо было расходиться в объятия сна и сновидений. В доме было достаточно каких-то маленьких комнат, чтобы разместить гостей, точнее, друзей. Как выяснилось, хозяином дачи был Марк Борисов, но все-таки главным во всем был Лев Никаноров.

Галя провела Зею в ее комнату. Небольшая, в сущности, комнатушка: всего лишь кровать и стол, два стула да книги в одиноком шкафу. Зея бухнулась в кровать, а Галя присела рядом и спросила:

– Ну, как тебе?

Зея взглянула на нее, и глаза ее были уже другими.

– Во мне все перевернулось. Какой-то взрыв произошел. Понимала или не понимала – но душа встрепенулась, залопотала, закричала...

– Зея, я знала, что так будет. Твоя душа никогда не была омертвевшей; она спала. Я чувствовала это, тем более и раньше у тебя внезапно посреди сна души что-то вырывалось необычное... И я поняла, что нужен шок, удар, чтобы душа вспыхнула...

– Удар Сверхпокойник закончил, добил... Кто он?

– Афанасий? Никто не знает. Он то появляется, то исчезает. Но Лев и Марк уважают его. Все-таки Сверхпокойник, как ты говоришь. Для него всегда есть комната на этой даче, приют...

— У него есть документы, паспорт?

— Зея, он таких слов даже не знает, не слыхивал. В его мире таких понятий нет.

— Молодец парень. Нечего сказать.

— Да, Зея, ты пробудилась. Что же будем делать? Душа — вещь великая, но и опасная. Неведомо куда заведет. Но здесь все люди свои, наши.

— Я сначала испугалась, но потом душа моя сказала: не бойся, они хорошие, они тебя не обидят, но многое дадут.

— Зея, у меня предложение такое. Пока твои родители отдыхают, побудь здесь, с нами. Точнее, завтра я с Марком и кое-кто из компании отправляемся в Тарусу, там у Льва, его родственников, пустеет домик. Просто проведем время; дня три-четыре, наверное.

— Я согласна... Да, Галя, я хотела спросить... Кто-то из ваших выкрикнул, что человек может быть выше Бога... Он что, сумасшедший?

— Да нет... Это Судорогов... Он это так, для кайфа, для создания атмосферы невозможного...

— Атмосферы безумия, что ли?

— Да нет. Что это в тебя запало... Впрочем, там есть потаенный смысл... Гипотетический, конечно...

— Что за смысл?

— Я присутствовала при одном разговоре Судорогова со Львом... Поясню так. В человеке есть образ и подобие Божье, или, как многие считают, просто Бог... Но в мире, который удален от Бога, или от высшей абсолютной реальности, которую люди называют Богом, есть великая тайна, и она заключается в том, что в мире есть то, чего нет в самой этой абсолютной реальности, и в этом смысл его создания. И человек, его высшая сверхидея в том, чтобы разгадать это тайное и внести его в эту реальность. Но если человек, внутри которого – Бог, или высшая реальность, добавляет к ней нечто сверхтайное, постижимое, может быть, только мистически, но что содержится в мире, то какие последствия, выводы из этого? Подумай сама... Выводы здесь могут быть неоднозначные, кстати... Ты что-нибудь поняла? Я же рассказала как можно проще, еще проще невозможно...

– Немного поняла... Чуть-чуть, – слабо проговорила Зея.

– Не бери в голову. А то твоя женская головка улетит в вечность. Надо остановиться. Я, кстати, нашла здесь свою любовь. Это Марк Васильевич, так его по отчеству.

– А я, чтоб успокоиться, выйду замуж за Витеньку.

– Он согласен?

– Он на все согласен.

Воцарилось блаженное молчание.

– Ну, я пойду к своему Марку... – Галя привстала.

– Подожди... Это правда, что внутри человека есть подобие Божье? – тупо спросила Зея, о чем-то думая и не доверяя.

– Еще раз говорю: правда. Но есть и другая правда – человек может быть чудовищем, странным до омерзения, эдаким необъятным во зле... Вот такие мы... – в интонациях Галиного голоса, нежного и бархатного, почувствовалось некое самолюбование... Зея так же тупо кивнула головой.

– Да, подожди, – вдруг проговорила Галя. – Тихо, тихо... Тут есть одно потаенное окошечко... Посмотрим...

Она рукой своей нежной позвала Зею следовать за ней. Они тихонько вышли в темный коридор, куда-то свернули и действительно оказались около маленького окошечка. Окошечко вело в полупустую комнату, мрачную, как Вселенная перед концом мира. Посреди комнаты стоял стол, на нем светилась одинокая свеча, а за столом сидел Афанасий. Перед ним – бутыль водки и стакан. Все это слабо виделось сквозь окошечко. Но не виделись глаза Сверхпокойника, если он в самом деле был таковым. Глаза эти смотрели в никуда. Только наличие водки придавало этой картине мертвенно-живой вид. Видимо, водка была единственным, что соединяло Афанасия с миром и, может быть, по-своему примиряло его с ним, хотя мира он, вообще говоря, не замечал.

Галенька сладко хихикнула про себя, но потом посерьезнела:

– Видишь, Зея, – шепнула она. – Кто-то вынул его из жизни... Но куда?

Зея шепотком в ответ:

– Мы этого никогда не узнаем.

Афанасий между тем запел – свое таинственно-мрачное и непонятное.

– Фактически он не возражает таким быть, – вздохнула Галя. – Пойдем спать... Пора... Тьма кругом...

Они ушли, простились, и Зея осталась одна в своей комнатушке.

Долго, долго не могла заснуть, ворочаясь всем существом под одеялом. Когда заснула, видела во сне свой ум, большой, длинный, как светящийся луч. «С таким умом не пропадешь», – бормотнула она в себе. Однако просыпалась и слышала шорохи где-то за дверью, видимо, во тьме. «Черти, что ли, оживились или Сверхпокойник бродит по дому?» – думалось ей.

...Афанасий и в самом деле бродил по дому. Бродил тихо, как будто это не он выпил полбутылки водки. Его шорохи наводили тишину в доме, как будто все ночные чертенята и страхи попрятались от него в свои норы. Наконец скрипнула дверь, и Афанасий исчез в своей комнате.

Марк Борисов и Галя тоже не могли заснуть сразу, о чем-то нервно беседуя. Только шорохи Афанасия увели их в сон без сновидений...

...Утро медленно вступало в свои права. Зея проснулась рано, и первое, что увидела в окошечко, было не восходящее солнце, а спина Афанасия, удаляющегося по тропинке из сада в какую-то бесконечность. Она вздохнула.

...Утренний чай начался вполне благодушно. Оказалось, что в доме, кроме Зеи, оставались только сам хозяин, Лев Никаноров, Галя с Марком и Судорогов со своей Женей. Накрыли стол Галя с Зеей.

Все бы и продолжалось благодушно, если бы Женя случайно, механически даже, не включила телевизор. Оттуда с каким-то рыком донеслось, что кого-то разбомбили, кого-то расчленили (из текста было понятно, что дело происходило за пределами России, остальное было неясно, так как Женя тут же выключила телевизор).

– И это продолжается бесконечно, всю мировую историю, – заметил Марк. – Одни колониальные войны все превзошли... Мне одна журналистка из Мексики рассказывала...

– Да ладно... Я же выключила, – оправдалась Женя.

– Не ладно... За голову обыкновенного взрослого индейца в Америке давали 6 долларов, за голову ребенка – 3 доллара. Хороший бизнес был. И безопасный к тому же.

– То ли еще будет, – подхватил Судорогов.

Никаноров вступился, однако, за род человеческий.

– Марк, да это же всем хорошо известно... Если вычеркнуть из мировой истории высокую культуру и религиозную мудрость, то она походила бы на историю людоедов, причем лицемерных. Но это только, если вычеркнуть...

– А мы, женщины, смотрим на мир совсем иначе, – ласково сказала Галя, попивая чаек и не отказываясь от мороженого.

– Надо смотреть не иначе, а глубже, – поправил ее Лев. – В Кумранских рукописях говорится, что этот мир создан по ошибке. Вот это фундаментально, а не то, что бомбят.

И Лев несколько строго посмотрел на окружающих. Тут уж Судорогов взвился.

– Падший мир, да еще созданный по ошибке! Двойной кошмар! А с демиурга-то взыскали?

– Насколько я помню перевод этого текста, взыскали по самому большому счету. За искажение проекта, так сказать, – промолвил Лев. – Бывает...

– Вот в какой полуад мы попали! – вскрикнула Женя. – А жить так хочется, и чтоб высшие миры тоже были наши... И жизнь, и вечность... А тут извиваешься, как змея, между одним абсурдом и другим... Дойдешь до того, что и зло покажется, хоть на минуту, привлекательным и необходимым.

В ответ – молчание за столом.

– Людям не извиваться надо, как змеям, в поисках какого-то последнего наслаждения или кайфа, – прервала молчание Галя, – а понять в конце концов, понять замысел Божий о нас...

– Слишком многого хотим, – рассмеялась Женя.

– Да не все так плохо, как кажется, – спокойно сказал Лев. – Хорошо, допустим, полуад, падший, да еще с ошибкой, но именно в таком мире и могут открыться двери в величайшие скрытые истины, ибо крайность порождает другую крайность. Кроме того, это самое крутое испытание на прочность. – Лев развел руками. – Если после такого человек сохранил божественную искру, то, знаете, это заслуга... Не то что в раю, где можно брести, как в золотом сне...

Судорогов даже подскочил от восторга, да и все в центре душ своих согласились с этим. Только Зея еще не созрела, но созревала, однако, потихоньку.

– Тогда за Россию, – предложила Галя.

Выпили по-хорошему за Россию.

– А ты какой совестливый, Марк, – пошутила, любя его, Галя. – В конце концов, не нас же бомбят... Мы защищены, нас не осмелятся, надеюсь... Можно уютно пить чай и философствовать об Абсолюте.

Марк улыбнулся.

– Извини, я шучу. Я не против совести, – улыбнулась в ответ Галя.

Беседа наконец вошла в спокойно-благодушное русло. Чай был бесконечен, тем более из самовара.

Вскоре показались и новые гости. Во-первых, Ирина, жена Льва, веселенькая и пухленькая. Она сразу защебетала, подойдя к мужу, что сыночка их отправила к бабушке и от нетерпения явилась сюда. Лев обрадовался.

Вторым оказался Дима Кравцов, филолог, лет тридцати двух, тоже как-то по-самоварному веселый и уютный; в нем тайно проглядывало что-то жутковатое. Присел он около Марка и внимательно посмотрел на Зею. «Глуповата, но своя», – точно говорил его взгляд.

– Где же Афанасий? Афанасий... Снова исчез... Это не к добру, – проговорила, как во сне, Женя. – Защитник он наш, в сущности...

Зея тут же вспомнила утренний туман и уходящую в бесконечность спину Афанасия.

– Я где-то его люблю, этого Сверхпокойника, как Зея его окрестила; ницшеанец он в чем-то, ницшеанец, может быть, наоборот, в другую сторону.

Такие внезапные изречения возникали у Жени периодически, и все ее обожали за это.

– Сверхпокойник наш отяжелел от тайны, которую он несет в себе, – закончила она.

– Это вы верно сказали, госпожа Михина, извиняюсь, Женечка, но мы вас любим даже больше, чем Сверхпокойника, – заметил новый гость, весельчак с примесью жути Дима Кравцов, специалист по древним текстам.

Судорогов между тем как-то дико посмотрел на свою Женю. И внезапно заговорил, как будто вне всякой связи с Афанасием, Сверхпокойником:

– Какой-то там эзотерический деятель на Украине изрек не так давно ставшие известными слова: «Открой истину, и ненависть к ней сделает тебя свободным». Это, конечно, попахивает чистейшим демонизмом, но, как всякое глобальное изречение, имеет двойной смысл, причем один смысл противоположен другому. Как это понимать в данном случае?

Все, кроме Зеи, тяжело вздохнули внутри себя, но тут же расслабились.

– Довольно наглый парень, но какой умница! – воскликнул Марк.

– Пожалуйста, есть весьма простая версия: например, поскольку абсолютная истина закрыта, и я думаю, что слава Богу, ибо если б она открылась, мир бы рухнул, – произнес Дима.

– Все понятно! – истерично вмешался Судорогов. – С этой позиции все истины, даже приближающиеся к абсолютной, не только относительны, но в какой-то мере заблуждения... Я уже не говорю, что человеческую историю вообще можно рассматривать, за редкими исключениями, как историю диких и страшных по своим последствиям заблуждений...

Дима Кравцов прямо-таки хохотнул от радости, непонятной, но живой.

– А как же, а как же, – замахал он пухленькими ручками. – Возьмем самое бредовое, на мой взгляд, – эпоха Просвещения... Конец XVIII – начало XIX века. Ничего более идиотического никогда не было и никогда больше не будет. Я имею в виду их мировоззрение. Три кита: сознание – продукт мозга, человек от обезьяны и теория прогресса и эволюции. Все три сейчас уже на доступном уровне проявились, правда, об этом умалчивается в широком масштабе пока. Еще бы – добрых два столетия этот бред тупо вбивался в головы в школах, в университетах, и до сих пор бред продолжается...

– Хи-хи-хи! – хихикнула Женя. – Да это ведь сюрреально, хорошо! Чем больше бреда, тем лучше. Особо если учесть, что заблуждения – часть рода человеческого...

– Что хорошего?! – возмутился Марк. – Это мировоззрение отправило десятки миллионов людей в низшие миры, если не в ад... Что в этом хорошего, не понимаю?

– Несчастные люди, несчастное человечество, – вздохнула Галя.

– Золотые слова! – подхватил как-то наставительно Лев. – Именно несчастные люди, несчастное человечество... Тысячу раз готов повторить эти слова... Но вот насчет того, что этот бред не будет превзойден, с этим, извините, я не согласен... Будет, может быть, такой бред, что черти разбегутся или, наоборот, примкнут к нам...

— Значит, достижения серьезные будут, больше, чем теперешние, научные, — ухмыльнулся Судорогов. — В истории бред, он всегда основан на ложной интерпретации каких-то достижений, успеха, религиозных откровений даже, такие уж мы существа.

И он поглядел на Зею.

— Все эти современные мировые заблуждения не скоро уйдут, потому что мы в них заинтересованы, — вмешалась Ирина. Она как-то загадочно походила на своего Льва в самом выражении глаз. — Но, главное, сейчас в мире большинству людей безразличны и заблуждения, и истины. Приди сейчас Христос, они и внимания не обратят. Ничего их не интересует, кроме своего корыта...

— Ну, в России не совсем так. И временно к тому же, — быстро ответила Галя.

— Потом, большинство ни в чем ничего не решает, может быть, только в войнах, революциях, и то двигает их меньшинство, и не всегда, между прочим, нормальное, — добавил Судорогов.

И вот тут грянул гром среди ясного неба философских бесед. Марку стало плохо. Лицо его побледнело, и, несмотря на внутреннее спокойствие, стало видно, что он болен, с ним что-то случилось. Галя засуетилась, задрожала, начала мерить пульс, но даже она почувствовала, что с сердцем неладно. Лев тут же бросился к телефону, чтоб вызвать «Скорую», но Марк запротестовал.

– Марк Васильевич, – сухо, почти официально сказал Лев. – Позвольте нам побеспокоиться о вас.

...«Скорая» не скоро, но приехала. Явился какой-то до ужаса угрюмый, лохматый мужик в белом халате, представился врачом. Наклонился над Марком, ничего не говоря, молчком. Пока эта «Скорая» ехала, Никаноров оперативно успел договориться с хорошо знакомым ему главврачом одной весьма неплохой больницы. Звали его Бобров Анатолий Степанович.

Врач со «Скорой», потискав Марка, почему-то дохнул ему в рот и проговорил:

– Отвезем.

– Куда?

– Найдем.

Лев сунул ему адрес больницы, где главврач Бобров готов принять больного. Со «Скорой» врач хмуро глянул в записку и сказал.

– Плати 1000 рублей. Отвезу тогда туда.

1000 рублей мгновенно оказались у него в кармане.

– Что с ним? Какой диагноз?! – вскрикнула Галя, надеясь на благоприятный ответ.

– Диагноз не знаю, – мрачновато отрезал доктор. – Дело темное. Может быть так, а может быть эдак.

– Дебил, – прошипела Женя. – Ну прямо дебил в халате... Наверное, диплом-то купленный.

...«Скорая» тронулась. Вместе с Марком поехали Лев и Галя. На даче все потускнело; Марка любили. Зея решила вернуться домой и потом позвонить по мобильному Гале.

...Дед Коля, который хозяйничал в квартире, крякнул, увидев Зею.

– Ты совсем не похожа на себя, – проговорил он, еще раз крякнув.

– Я уже никогда не буду той, за которую я себя принимала, – ответила Зея.

Дед Коля ничего не понял и потому не обратил на эти слова никакого внимания. Только стал орать, что за электричество не уплачено, нужник почти сломался, горячей воды нет и вообще, жить невозможно.

– Только и всего? – удивилась Зея. – Почему же жить невозможно?

– Ну, ты как была дура, так и осталась.

На этом разговор окончился. Дед Коля ушел.

Зея прилегла на диван. «Все прорвано, – подумала она. – Я стала, какая я есть. Правильно Галя сказала, что внутренне, где-то в глубине, я и была такой. Теперь попутешествуем. Во все погружусь, все узнаю...» В душе царила какая-то хорошая тревога. «Я буду жить вечно, – подумала она. – Но как, где, в каком смысле? Все узнаю у них...» Она благодатно задремала.

Очнулась от дремы, потому что раздался тяжелый звонок. Звонил Трофим. Глухо-мрачным голосом произнес:

– Как дела, дочка? Как с душой?

Зея растерялась.

– А, растерялась! Значит, все в порядке. Ко мне больше не приходи.

И она услышала, как Трофим повесил трубку.

...Наконец Зея решилась и позвонила Гале. Раздался ее явно взволнованный до нервозности голос:

– Он в той больнице. Что с ним – неизвестно, нас не пускают... Но без мрачных намеков.

– Слава Богу.

– Мы, конечно, позвонили родителям Марка и его бывшей жене Кате, с которой он развелся...

– Где ты?

– Лев возвращается на дачу. Я – домой. Будем созваниваться... Кстати, видела Сверхпокойника нашего – Афанасий прошел мимо нас, когда мы вышли из больницы, на улице. Видел он нас или нет – непонятно; непонятно вообще, куда и во что он смотрел и что видел... До свидания, Зеечка. Поздравляю с пробуждением.

Но Галя явно была не в себе. «Как она волнуется за Марка, – подумала Зея. – Даже голос както тайно дрожит».

Но разговор закончился. Галя обещала позвонить, когда что-то выяснится.

Прошел ряд дней. Галя не звонила. Зея между тем довольно быстро, не отрываясь, прочла книгу, которую сестра ей рекомендовала прочесть для начала. Прочла и возрадовалась. Почувствовала себя легко, свободно, как будто ей предстояла вечная жизнь. Мешали только звонки родителей и дед Коля со своим беспокойством насчет полусломанного клозета и каких-то обманных счетов, правда, на несущественную сумму.

Наконец позвонила и появилась Галя. По ее сияющему лицу Зея поняла, что с Марком все в порядке. Тайной дрожи как не бывало.

– Он жив-здоров, – сказала она с ходу. – Его выписали из больницы. Его забрали к себе родители, но я тоже видела его при выписке.

– И что?

– Основной диагноз – «пищевое отравление». Дикость какая-то... Кроме него, никто не отравился. Но Лев что-то там сдал на анализ, что употребил именно Марк... Но, главное, сейчас Марк нормально выглядит, вид здоровенький.

– Хочешь выпить, закусить? У меня шотландский виски.

– Не надо. Я ненадолго. Впрочем, подумаем...

И Галя присела на диван.

– Давай, давай, – проговорила Зея. – Ты такая сладкая сегодня, нежная. Как русалочка.

– Как русская, а не как русалочка... Ладно... Ты знаешь, когда выписывали, там был какой-то странный момент...

– Страшный?

– Нет, нет, странный... Ну, во-первых, при выписке появился главврач, знакомый Льва. Представительный мужик. И при расставании он вдруг взял и подмигнул Марку... Словно он знает что-то особенное... Ну когда это врач подмигивает своему больному?

– Дурдом, – уверенно сказала Зея.

– Более того. Лечащий врач, рыжий такой, огромного роста, был явно смущен и как-то побаивался Марка. Я заметила: взглянет на Марка, а глаза испуганные... Вот-вот отскочит в сторону...

– А Марк?

– Марк ничего... Но в чем-то это расставание было подозрительным... Может, мне это только показалось... Главное, он здоров, и ему ничего не угрожает.

– Надо выпить за его здоровье.

– Рюмочку. Не более. Но большую – ведь за здравие.

Расселись поудобней.

– Я к тому же только что звонила Марку... Уже договорились встретиться послезавтра... Только самые близкие... Лев с Ириной, Константин...

– Судорогов?

– Да, Константин, с Женей, конечно... И Дима Кравцов, как раз у него на квартирке, вернее, у его бабушки; сама она на даче. Это недалеко от родителей Марка. Тебя тоже зовут – как новенькую.

– Меня? Это почему?

– Давай сначала выпьем за Марка.

– Давай.

И они выпили за Марка, а потом еще, и это «еще» было выпито с крайним удовольствием и надеждой.

– Вот так и надо пить, – сказала Галя. – Чтоб каждая родная жилочка внутри горела, визжала от счастья и прилива жизни...

– Так почему меня?

– Это моя работа. Я же тебе говорила, сестрица, что внутри ты наша. Тебя надо только открыть. Открыть для тебя самой.

– Это происходит; понемногу.

Посидев так с часок-другой, они расстались.

– Я позвоню, дам адрес. Ну, с Богом, – сказала Галя.

– Спасибо тебе за все, что ты сделала для моей души, – и Зея поцеловала сестру на прощание.

...Зее не пришлось долго ждать. В один прекрасный, но дождливый день Галя позвонила, зашла, и они поехали к Диме Кравцову на квартирку его бабушки.

– Я виделась с Марком. Ты будешь поражена, – промолвила Галя по дороге.

Они ехали в метро, поезд грохотал, но Галя вдруг наклонилась и шепнула Зее:

– Обрати внимание на лица людей... Особенно женщин... Несмотря на усталость, даже некоторую подавленность, какая сосредоточенность на себе, будто надо решить что-то важное для себя... У многих такое...

Зея расширила глазки и кивнула головой.

...На квартирке у Димы уже собрались... Сам хозяин бабушкиной квартиры, толстенько-веселый, но с мрачноватостью на дне глаз, восседал в старинном поломанном кресле. Остальные – Лев с Ириной, Судорогов с Женей и Марк – вокруг круглого стола на довольно крепких стульях. Никаких чаев и никаких напитков. Галя с Зеей приютились около Марка. Оказалось, что они не опоздали, собравшиеся пришли минут десять назад. Марк начал просто:

– Сейчас со мной все в порядке. Но была клиническая смерть. И я вышел из тела, и все окружающее превратилось в тени. Такими я видел их и свое покинутое тело, вокруг которого хлопотали врачи и сестры... Мое сознание было ясным и четким. Это продолжалось, может быть, минут десять, как мне сказали потом. Внезапно душа вернулась в тело, и тогда я очнулся возвращенным в эту жизнь...

В комнате зависло одноминутное молчание. Наконец Лев вздохнул и выговорил:

– Поздравляю... Великолепное путешествие, пусть и мимолетное...

– Главное, что ты жив! – воскликнула Женя.

— Уж не знаю, когда я был более живой — там или здесь...

— Вот это достойное замечание, — не без иронии, но в то же время со страхом ляпнул толстячок Дима.

На его слова никто не обратил внимания.

— Несмотря на банальность происшедшего, — продолжил Марк, — было все же полное ошеломление...

— Почему банальность? — удивилась Ирина.

— Потому что все происходило как по писаному, как наблюдалось много раз...

— А ошеломление?

— Потому что все это на своем опыте, на себе... Но действительно, хотя и как по писаному, было что-то таинственное, могучее, влекущее, что нельзя даже передать словом... Возможно, во мне появилось реальное ощущение преддверия, предчувствие того, что если связь с этой жизнью окончательно порвется, то я уйду в океан чего-то грозно реального, но неведомого и радикально иного...

— Был ужас?

— Никакого ужаса и страха. Я был абсолютно спокоен. И готов идти туда, зная, что спасение, точнее, освобождение только в духе... Но внутренне, в глубине души, я ощущал, что вернусь...

— Почему? — глухо спросила Зея.

— Потому что я вернулся. Рано мне улетать еще... Я свободно осмотрелся. Сознание, мысль, иное тело, как бы имитирующее физическое (это так называемое тонкое тело), – все при мне. Но физический мир стал тенью. Я легко проходил сквозь стены. И несколько растерянно прошелся вокруг. Но я чувствовал связь со своим покинутым телом и внутренне ощущал, что, если эта связь оборвется, я действительно уйду в другой мир, а сейчас я только в преддверии его... Такое междуцарствие не может продолжаться долго. Внезапно и молниеносно я познал, что возвращаюсь. Дальше не помню. Я очнулся уже в физическом теле. Рядом суетились врачи. Я огляделся вокруг и захохотал. Как у меня хватило сил на это – одному Богу известно. Врач, сестра, окружающие в ужасе отшатнулись...

Судорогов аж взвизгнул от восторга.

– Это изумительно! – подкрикнул он. – Так и надо реагировать на такое возвращение в этот, так сказать, гостеприимный мир! Ха-ха-ха!

– Я именно так и среагировал. Суть состояла в том, что этот гостеприимный мир показался мне просто смешным после моего возвращения. В принципе смешным. Мой хохот добил врачей. Если б они были потрусливей, они бы разбежались... Вот такая реанимация...

Никаноров хранил суровое молчание, но Дима Кравцов тоже хохотнул и спросил:

– Что у нас показалось таким смешным?

– Все и вся. Даже кошки. Я ощутил наш мир как нелепый придаток огромного, чудовищного, великого по смыслу и значению невидимого мира, невидимого для нас, со всеми его уровнями и обителями. Неведомый, великий мир, из которого произошел наш, но достаточно неудачно...

– Скажем, не совсем удачно, – хихикнула Женя. – Но удача была...

– Такое мое состояние длилось несколько дней. Я был спокоен, не обалдел, можно сказать, но смех разбирал меня... Потом я пришел в себя, но след такого опыта неизгладим. Одно дело – получать эти знания из книг, пусть и священных, другое – на собственном опыте.

– Врачи не сочли тебя сумасшедшим, когда ты хохотнул, возвращаясь? – любопытствуя, спросил Дима Кравцов.

– Почему-то нет. Они испугались, но впоследствии сочли такой хохот за нормальную реакцию. Главврач как-то ласково убедил их в этом.

– Он свой человек, – подтвердил Лев.

– А потом произошло нечто вопиющее, – продолжал Марк. – Я не знаю, какой юморной бес толкал меня на эти поступки... Путешествуя эдак минут 10 в преддвериях того света, я заметил, что одна сестра, кстати, довольно зловредная, как-то погано занимается сексом, запершись в клозете. Мужик ее был из больных, грязный, жуткий, бородатый и истеричный. Да и поза была – хоть чертей выноси!

– Кошмар! Бедная девушка! – воскликнула Зея.

– Вот я, как только встал на ноги, возьми и подойди к ней. Она читает. Я наклонился и шепнул ей в ушко: «В рабочее время с полумертвым, да еще в клозете, да еще в позорной позе – нехорошо!» Она, юркая, как взвизгнет – и бежать! Что она подумала – не знаю. Может быть, что, мол, проговорился, черт лохматый? Вряд ли, как он мог проговориться, когда на следующее утро он умер! Чертям разве что, но они и так все видят.

– Немыслимо! – как-то абстрактно проговорила Ирина.

– Ну, а мне сразу же сестру стало жалко. Думаю, Господи, что я натворил... На следующее утро, как раз когда лохматый мужик умер (он лежал в нашей палате), я взял с моего стола букет с цветами и, после своего путешествия мало что соображая в социальном смысле, поперся с этим букетом к сестре извиняться. Она, как увидела меня с цветами, дико вскрикнула – и опять бежать. Видимо, эти цветочки ее доконали... Потом я спросил главврача, которого Лев определил как «своего», что с ней. Он загадочно ухмыльнулся и сказал, что уволилась.

– Марк, это ужасно, – заметила Галя. – Зачем ты ее травмировал?

– Не знаю. Я все-таки немного был не в себе. Теперь совесть грызет.

– Помолиться надо за нее, за ее душу, – мрачно сказал Судорогов. – И особенно за того, бородатого, что помер...

– А еще что видел? Было еще? – ехидно спросила Женя.

– «Еще» было. Но в другом вкусе. Видел, что лечащий врач, выйдя в коридор, свалился на скамейку. «Видно, – думаю, – выпивши был».

– Охотно верю, – согласилась Ирина.

– Ан нет. Я ему очень отдаленно намекнул на его падение, он глаза вытаращил, но ничего. Особой агрессивности не проявлял, но почему-то боялся смотреть мне в глаза, а если исподлобья взглядывал, то как-то дико и неправдоподобно. Он был неверующий, и я боялся, что он может скорее повеситься, чем поверить, что что-то есть, кроме того, что видать физическим глазом.

– Бог с ним, – вздохнула Галя.

– Да, действительно. Потом я выяснил, что у бедняги был артроз колена, и он от этого споткнулся, а не потому, что выпивши.

– Если б пил, то хоть во что-нибудь да поверил. Водка, она метафизическую совесть пробуждает, – объяснил Судорогов.

– Один главврач был в теме. Оттого он мне и подмигнул, – заключил Марк.

– Господа! – вмешался наконец Кравцов. – Что-то у нас слишком попахивает конференцией с того света. Где вино, пряники, пироги, чай, конфеты? Надо же и телу причинить нечто приятное. Совсем о нем забыли.

Все согласились. Сам хозяин и Ирина быстро организовали полупир в честь возврата. Немножко расслабились, а Зея неожиданно спросила, словно в пустоту, не ожидая ответа:

– Хорошо, а если б Марк Васильевич умер окончательно, не вернулся, что бы с ним произошло?

Никаноров переглянулся с Галей. Но Галя вступилась за сестру:

– Зея только-только пришла к нам. Расскажем ей как можно проще.

– Ладушки, – произнес Кравцов. – Я уж начну, более или менее строго придерживаясь традиции.

И все же он вздохнул. И сказал:

– Блажен не видевший, но знающий... Точнее, вовсе не он блажен. До блаженства еще далеко... Так вот, Зея, в общих чертах – все очень просто. После так называемых мытарств, превращений, приятных и неприятных минут – об этом можно говорить очень долго – итог таков: сон. Душа, освободившись от всех своих оболочек, погружается в сон, обычно без сновидений, и спит, как в коконе, защищенная этим сном. Душа, ее сознание, светится, как звездочка, в мире ином. Этот так называемый сон продолжится до конца этого, нашего мира, до конца космологического цикла, до конца этого человечества... Но вместо – новая земля, новое небо, принципиально новый мир... Пробуждение души... А когда душа поймет, что с ней будет, где она воплотится, – Кравцов развел руками и несмешливо, как-то по-доброму улыбнулся, – кто в ад, кто – куда получше, кто – в новый цикл иной человечьей жизни, это уж, извините, как повезет в высшем смысле, индивидуально, зависит от состояния души... Ладушки? Видите, как все просто, любой школьник поймет...

Кравцов вдруг мрачно хохотнул и сказал:

– Жалко людей!

Судорогов тут же вмешался, и не без иронии:

– Какую вы все-таки мрачную картину нарисовали, дружище... Сон... Да я не хочу спать даже на том свете... Я хочу духовно действовать, стучаться, кричать, пробиваться, кусаться, корячиться, лезть в невозможное, но только не спать. Ползти червем в небо, в высшую, вечную жизнь, сиять, в конце концов! – Судорогов уже не иронизировал, а страсть желал быть вечным, без сновидений и миражей.

– Константин! – прервал Никаноров. – Но была же только общая зарисовка... Кто отрицает, что помимо этого, без предсудного сна, можно сразу угодить в ад, по заслугам непререкаемым прорваться к богам и выше, к Первоисточнику... Или скитаться по Вселенной. Но так девушку можно запутать...

– Ничего, распутается, – продолжал Судорогов. – Да сейчас столько диких парадоксов стало на том свете... Народ-то теперь в мире помирает сумасшедший, а не только тупой... Иной раз такое там вытворяют, что и демиурги в обморок падают... Сейчас потусторонние миры совершенно беспокойными существами заполнены, какие уж тут звездочки. Летают, визжат, не знают, куда деться, – атеисты несчастные, к примеру; другие, помрачней, знают, что делать, и лепят такие миражи, творения целые, аж дух захватывает... И все без Бога, без Бога... – Судорогов хохотнул. – Есть такие, что и ад перевернут вверх дном, на огонь адский, неземной, наплюют... Ничего не сделаешь – свобода воли...

И Судорогов хлебнул винца.

– Да вы на мир посмотрите! – вскричала Женя. – К каким миражам он катится!

– В конце времен, в конце Кали-юги, – стремительно продолжил слова любимой женщины Судорогов, выпив еще живительного винца, – после Антихриста и вообще, известного из Откровения финала, у пылающего гроба этого мира появится *он*!

– Кто еще? – испуганно спросила Ирина.

– Он, Сверхпокойник. Истинный, подлинный Сверхпокойник. И вот тогда он будет сиять! Сверхпокойник завершит этот мир, но судьбу его, роль и кто он по сути, мы никогда, даже в вечной жизни, в самом Духе, – никогда не узнаем. Ибо, узнав это, мы не сможем жить.

– Ну и пророчество, ну и кошмар, ну и прозрение! – резко проговорил Марк. – Хватит! Я побывал в пустяке, по сути, – и то... Куда вы лезете, не сходите с ума! Это кончится плохо!

— Нет, это кончится хорошо! — вскричал Никаноров. — Наша русская душа ничем и никогда не утолится... Она хочет видеть то, что невозможно...

— На этом и остановимся, — внезапно сказал Кравцов. — В конце концов, Марк, какой был окончательный диагноз, что было отравлено? Удивительно, ведь отравились только вы...

— Мы со Львом сдали им на анализ все подозрительное, — вмешалась Галя. — Самое подозрительное было, на мой взгляд, обезболивающее лекарство, таблетка...

— У меня во время этой нашей посиделки разболелась голова, и я принял обезболивающее, — объяснил Марк.

— Да, да, я заметила... Надо быть осторожней с этим, Марк, — посочувствовала Женя.

— Короче говоря, нам вручили медицинскую выписку, но я ничего не понял и не хотел понять, — ответил Марк. — Главное заключение — я выздоровел, ничто мне не угрожает, и больше я не хотел вникать... К черту... Выписку взяли родители, и им сказали, что еще будут разбираться, кто виноват...

— Кто виноват?! — возмутилась Галя. — Просто в 90-е годы Россию сдали в руки уголовникам... Отсюда и фальшивые лекарства, недоброкачественные продукты... Пищевой и лекарственный апокалипсис.

– Ну, уж и апокалипсис! Это слишком, – заметил Марк.

– А почему нет? – ожесточилась Женя. – Это же колоссальные деньги! А откат?! То-то народные депутаты издавали законы, по которым за отравление людей назначались ничтожные сроки или просто штрафы...

– Хороши эти народные людоеды, которые наживаются на крови собственного народа, своих же людей, – мрачно сказал Судорогов. – Таких тварей и описать на человеческом языке невозможно... Что отравители, что получающие откат...

– Я удивляюсь тупости всех этих людей, – вмешалась Галя. – Ведь ясно, что за такие дела от возмездия, причем глубинного, им не уйти. А если улизнуть здесь, тем хуже будет там, где никого не подкупишь, где деньги означают ноль... Считают себя счастливчиками и эдакой золотой элитой, а на самом деле роют себе фундаментальную могилу. Совсем помешались на людоедстве и шелесте долларов...

– Это глобальный процесс мирового масштаба, – спокойно сказал Лев. – К примеру, известна практика ложных операций, а главное – мировая торговля человеческими органами... Тут, извините, такие левые деньги, что нашим людоедам и не снились...

– Хватит! – вмешался Марк. – Не будем никого судить. Есть высший суд, и его не избежать.

«Мне отмщение, и Аз воздам»... А идиотов, верящих только в свое корыто, жалко, прямо скажу... Ведь скидки за идиотизм не будет...

– А наркотики! Это уже мистическая отрава! – не унималась Женя. – Удар прямо по главному – по сознанию, по душе. На этой мировой торговле такие деньги, что, к примеру, в Латинской Америке целые армии, вооруженные по-современному, наркобизнес создает, чтобы охранять и защищать свои плантации, свои интересы.

– Да все хороши... Цивилизация голого чистогана, ничего не скажешь.

– И долго это будет продолжаться?

– Да перестаньте брать это в голову! – снова вмешался Марк. – Лев, скажите хоть вы... Ясно, что все меняется и все проходит, начнется другой цикл, уже с другими изъянами, но, думаю, не такой отвратительный. Протестовать против этого – то же самое, что протестовать против землетрясения или плохой погоды... Само падало, само пройдет... Всему свое время, не мы это решаем и не людоеды...

– Это уж верно, – подхватил Лев. – Вокруг нас столько прекрасных людей... Да, везде; сколько врачей я знаю подлинных, переживающих, как в старые времена... Мои родственники из этой команды... Соседи по дому у нас, так называемые «простые» люди... Везде; все человеческое никогда не умрет, даже в постчеловеческую эру, о наступлении которой пишут на Западе... И не надо никого судить.

– И что там наркобизнес по сравнению с Хиросимой, – произнес Кравцов.

– К тому же есть еще и духовная Хиросима, не менее жуткая, чем та, – добавила Женя. – Лучше погибнуть невинным, чем жить в крови...

– «От ликующих, праздно болтающих, обагряющих руки в крови, уведи меня в стан погибающих за великое дело любви!» Так и хочется это сказать, – заключила Галя.

– Что меня особо интересует, – высказалась Женя, слегка хихикнув, – так это вот что... Древние греки считали, что боги хохочут над людьми, над их жизнью... Что особенно вызывает у них такой смех?

– Если тогда хохотали, то представляю, какой хохот вызывает у них современная жизнь, – развел руками Лев.

– Всеобъемлющий хохот, вселенский! Вот какой! – подхватил Судорогов. – Тупые ученые, циклопы, адепты так называемого научного мировоззрения, вскрыв черепушку и не обнаружив там ни ума, ни сознания, вопят на весь мир, что души нет, следовательно, нет ни продолжения, ни бессмертия, ни Бога... Другие циклопы – обезьянопоклонники и прочее. Что ни обобщение, то полубред, теория прогресса, эволюции и так далее. А если есть доказательства против их гипотез, то чем хуже для фактов. А войны и день и ночь... Самопожирание из-за целей, которые при их реализации сами ведут в ад... Под аплодисменты дьявола и хохот богов. Весь мир – духовная Хиросима... О физической уж не будем...

– Ладно, ладно, – возразил Никаноров. – Не весь мир... А потом, человечество бывает разным, разного космологического цикла... А что они скажут о богочеловечестве? Кто будет хохотать последним?

– Для меня лично, – вставил Марк, – самым сильным впечатлением в моем опыте так называемой смерти было то, что этот мир превратился в призрак. Не я, вышедший из тела, стал призраком, а мир; я был жив в своем тонком энергетическом теле, а мир стал тенью для меня.

– Да черт с этими нюансами! – воскликнула Галя. – Лишь бы жить, существовать, здесь, там или за далью миров, в духе...

– Что за патологическая жажда бытия! – вздохнул Кравцов. – Я бы отдохнул, соснул как-нибудь в самом себе.

– Господа! Хватит! – настояла Галя. – Моя сестренка иначе того гляди сойдет с ума... Предложение отдохнуть.

Отдых прошел тихо, мирно, за чаем, без Хиросим и призраков.

Зея вернулась домой поздно вечером, предварительно договорившись с Галей встретиться на днях.

...В квартире никого не было, раздался только звонок от родителей. Они отдыхали во всю Ивановскую. Зея же не могла овладеть своими мыслями, они текли эдакой бесшабашной рекой, обрызгивая ее душу неслыханным ранее. Она не сопротивлялась, радовалась даже тому, чего абсолютно не понимала. Душа ее была возбуждена больше даже, чем после первой встречи, неизвестно почему. Тело было в порядке, оно адекватно реагировало на такое взвинчивание...

...Наутро пропал дед Коля. Правда, к вечеру нашелся... Зея смотрела на себя в зеркало и не узнавала себя... Мелькнула мысль, что ее подменили.

...Через два дня позвонила Галя и предложила встретиться и прокатиться для души на речном трамвайчике по реке-матушке Москве. Зея пришла, и они быстро очутились на уютном кораблике, тихо и убаюкивающе плывущем вдоль великого города, мимо Кремля, памятника Петру Первому, Воробьевых гор, лесов и куполов Новодевичьего монастыря... Зея рассказала Гале о своих ощущениях.

– Да, не волнуйся, если кое-что показалось странным или непонятным, – заключила Галя. – Это все придет, если Бог даст... Главное, что душа пробудилась... Я знала, что так будет...

– И что же мне делать?

– Живи.

– И тело пробудилось, как ты говоришь.

– Пусть живет. Только в норме, по-человечески...

– Кое-что в этих беседах меня напугало.

Галя посмотрела на течение реки. «Боже, какое успокоение, – подумала она. – Не то что на земле».

– Галя, ответь.

– Зея, я слышу... Мой ответ таков: больше тебе в нашей компании появляться не надо. Шоковая терапия состоялась. Теперь тебе нужно спокойно работать над собой. Я познакомлю тебя с другими людьми, молодыми студентами с моего философского. Там есть человека два-три, которые подойдут тебе. Да и Лев кого-нибудь найдет для тебя, я попрошу... С ними ты сможешь тихо и постепенно пробираться по этой небесной чаще. Кое-какие книги для начала тоже необходимы. Кстати, ты крещеная?

– Конечно.

– Но надо же раскрыть, закрепить это. Я сведу тебя к одному батюшке, очень образованному и доброты райской. Полеты свободной философской мысли – это одно, но религия необходима как воздух. Иными словами, надо иметь твердую почву под ногами... У тебя родители-то все крещеные?

– Родители да. Но дед некрещеный.

– Дед Коля?

– Да.

– Странно! Дед, а некрещеный. Надо обратить его в православную веру и крестить.

– Как? У него ум диковатый.

– Ничего... Я займусь, у меня есть опыт. Я уже двоих личностей, наших соседей, кстати, привела к вере, и они крестились.

А кораблик плыл и плыл, плыли и берега Москвы, умиротворенные течением реки. И небо было чистое, голубое, словно защищенное от всяких Хиросим, и бесконечное.

– А как же Россия, что ты думаешь? – неожиданно спросила Зея.

– Россия еще не раскрыла все свои великие возможности, поэтому будущее за нами. Есть даже такое стихотворение загадочное:

> Россия тайными уклонами
> Идет, неведома судьбе,
> И дьявол отвечает стонами
> На путь ее к самой себе...

От таких стихов Зея немного растерялась.

– Объясни, – сказала она.

– Объяснять стихи! Ну, ладно... Попробую... Здесь Россия выступает как тайна... Тайна до такой степени, что даже самой судьбе она неведома... И главное – путь ее к самой себе... Она еще пришла к себе не полностью, далеко не полностью... А когда придет, не только дьявол будет отброшен... Осуществить себя она сможет, я думаю, уже во вселенских, духовных масштабах... Земля слишком мала...

Зея умолкла, а потом опять спросила:

– А душа?

– Душа? Она бесконечна.

Вот так и вышли они на берег.

– Все это очень трудно осознать, – сказала Зея на прощание. – Осознать реально.

– Придет само собой, – ответила Галя.

...Зея долго бродила одна по улицам Москвы. Наконец пришла домой. Легла на кровать и вдруг разрыдалась, но не от страха или тревоги; это было какое-то фантастическое рыдание, понять которое она не смогла.

Часть III
НЕЖДАННЫЙ ГОСТЬ

Глава 1

Париж, первое десятилетие XXI века. Ранняя осень. Проливной дождь, который превращает Париж в серость. Маленькая квартирка, что недалеко от Монмартра, принадлежит Румову Петру Ивановичу, мужчине лет около 40, стройному, с неправдоподобно выразительным лицом. Особенно неправдоподобны были глаза – слишком глубинно-проницательные для человека, даже пронзительные. Впрочем, нередко его глаза погружались в почти неестественный покой...

Румов приехал в Париж ненадолго. Жил он обычно в Москве или в деревне на Оке и в России считался довольно загадочной фигурой. Известен он был по своим книгам, посвященным иллюзорности человеческого существования. Почему-то его книги имели успех даже в кругах большого бизнеса. Читали его даже некие крупные уголовники, авторитеты. Сам Румов считал, что его книги должны вызывать живой отклик, кроме кругов высокообразованной интеллигенции, именно среди уголовников.

Последние годы он жил свободно, одиноко, ибо развелся с женой, но дочку свою Ирочку от нее как-то по-своему обожал. Менее ясно он обожал и аспирантку Таню Сомову с философского факультета МГУ, где он временами преподавал.

Некоторые книги Румова были переведены на европейские языки, но в Париж он приехал не по этому поводу. Квартирка парижская эта, кстати, досталась ему в дар от одной из русских поклонниц его философии иллюзии, эмигрантки, умершей в своей постели с его книгой в руках. Старушка эта отличалась мудростью... На этот раз Петр приехал в Париж просто так, по рассеянности. Наслаждался три дня великолепным французским вином. Было начало сентября, но погода стояла неприличная для этого времени года. На четвертый день в его квартире раздался телефонный звонок, мягкий, неистеричный. Петр подошел и услышал русскую речь, правда, где-то чуть-чуть нерусскую.

– Петр Иванович, дорогой, – верещали в трубке. – Мне рекомендовал вам позвонить ваш издатель, Мартин Дюко, мой друг...

– Очень приятно, – бормотнул Румов.

– Мне дико приятно было бы с вами встретиться в любом французском кафе и серьезно поговорить на темы ваших книг. Сам я по профессии смертолог...

– Кто-кто? – ошеломился Румов.

– Как кто?! Я специалист по смерти. Танатолог. Но с русским человеком я предпочитаю говорить на русском языке. А значит, не танатолог, а смертолог.

– Так вы не русский?

– Никак нет.

– А почему же вы, извиняюсь, так свободно говорите по-русски?

– Когда встретимся, вам это не будет удивительно.

Румов замолчал, потом вдруг спросил:

– Уж не из ЦРУ ли вы, милейший?!

В трубке захохотали.

– Нельзя так принижать незнакомого человека, – ответили там. – Я не занимаюсь мелочами жизни...

– Ого!

– Именно «ого»! Вы все поймете, Петр Иванович, надо повидаться. Как смертолог я на международном уровне довольно известный человек. Ваш издатель не стал бы вам навязывать какую-нибудь шантрапу.

– Да, – вспомнил Румов. – Я тут злоупотреблял вином, но, кажется, вчера он звонил мне и предупреждал о вас... Как вас зовут?

– Зовите меня по-простецки – Альфред.

– Хм, – иронично озадачился Румов. – А если по-простецки, то что вас как смертолога интересует в моих книгах? Может быть, то, что смерть означает конец всем иллюзиям, которые владеют человеком на протяжении его жизни?

– Нет, нет, что вы? Это, в конце концов, упрощение. Наш разговор будет куда более серьезным...

– Хорошо, Альфред, – не без иронии, но со смутным интересом проговорил Петр. – Можете встретиться завтра?

– С вами – с радостью! – как-то упоенно ответили в трубке.

И они договорились на 5 часов вечера в ресторанчике «Гиппопотам», что на площади Клиши. Альфред сам предложил «Гиппопотама».

– Пошловато, – плаксиво выразился он. – Мерзкая объедаловка. Но по определенным причинам именно среди этой пошлятины нам и надо встретиться...

– Вы, однако, так говорите по-русски, – все-таки не удержался Петр, – что просто провоцируете мои подозрения...

– Считаю это шуткой. Ни один самый невидимый и изощренный враг России не сможет овладеть русским языком, как им овладел я. Потому что мои познания из другого источника... А вы слишком недоверчивы, друг мой, – вполне дружелюбно ответил голос так называемого Альфреда.

...Встретились в «Гиппопотаме». По оговоренным по телефону приметам сразу узнали друг друга.

– Альфред, смертолог, – представился Петру этот довольно полноватый человек низенького роста и со взглядом интеллектуальным, но довольно мутным и полублуждающим.

– Мой издатель рассказал мне о вас. Очень убедительно! – Румов чуть ли не раскрыл руки для объятия, но сдержался.

Сели за столик у окна, из которого была видна тротуарная Франция.

– Я угощаю, – заявил Альфред.

Аппетит у смертолога оказался отменным. Видя, как он уписывает свинину, Румов удивился. Но, обтерев сладко-жирненькие губы салфеткой, Альфред приступил к делу.

– Дорогой Петр, для вас, конечно, не секрет, в каком маразме находится сейчас род человеческий. Но пора поставить в этом отношении точку над i.

– Что вы имеете в виду?

– У меня есть к вам предложение. – Альфред глотнул красного винца. – Я, собственно утверждая, живу в Штатах, в районе Нью-Йорка. И предлагаю вам посетить самую свободную страну в мире, чтобы заглянуть там в один уголок около Нью-Йорка.

– Что это за уголок?

– Не бойтесь. Это не сумасшедший дом. Это так называемый Дом бессмертных.

– Хамское название, однако, – заметил Петр.

Альфред захохотал:

— Не без того. Но в жизни, или, так сказать, в действительном понимании, Дом бессмертных — это закрытое, если так стоит выразиться, медицинское учреждение, больница, госпиталь, так сказать, где лечат смерть.

— Как так?

— Ну, практикуют бессмертие.

— В каком смысле?

— В самом гнусном смысле, дорогой Петр. Имеют в виду физическое бессмертие. Здесь, на земле.

Петр засмеялся.

— Наверное, там просто снимают очередной голливудский триллер.

— Если там кто-то и снимает очередной триллер, то отнюдь не люди, а черти. С того света снимают — так безопасней.

— Слушаю, слушаю, — оживился Петр. — Хорошо бы получить от них такой фильм.

— Хорошо, прекрасно. Но люди относятся к этому крайне серьезно. Идет попытка на основе новейших научных разработок продлить жизнь на неопределенно долгое время. В идеале, в будущем претендуют даже на физическое бессмертие.

— Ну-ну.

— Действительно, «ну-ну». Что это вообще — «ну-ну»? Прекрасно. В этот дом попадают по желанию обычно пожилые люди, владеющие сполна презренным металлом. Лечение смерти там стоит фантастических денег. Простым людям такое недоступно.

– Ну, понятно. Как писал великий поэт, «Кому бублик, кому – дырка от бублика, это и есть демократическая республика».

– Бублик в данном случае диковинное долголетие. Иными словами, они торгуют правом на жизнь... Меня туда пригласили для консультаций как известного смертолога – помочь преодолеть психологический барьер, заставить людей не считать себя смертными... Замечу, что этот дом – только предварительный этап. После те, которых отобрали, попадают в истинный Дом бессмертных, точнее, на корабль бессмертных. Дом ли это где-нибудь в горах или уединенно плывущий по морям корабль – не знаю. Попасть посторонним туда невозможно. Там вот и идет совершенно секретная работа, и результаты ее закрыты. Но я вас приглашаю в предварительный Дом бессмертных. Я могу это сделать для вас.

– Черт возьми, – проговорил Петр. – Все, что касается смерти и бессмертия, – любопытно, даже если это попахивает идиотизмом.

– Идиотизмом попахивает все, что делает человек, – сурово прервал его Альфред. – Я люблю вас, Петр, – и он мутно взглянул на Румова. – Мы могли бы посотрудничать в этом деле. Может быть, даже общая книга. Вы можете остановиться у меня. Две-три недельки, и мы все поймем.

– В Штатах у меня есть сводная сестра. У нас одна мать, но разные отцы. Мой отец рано умер. Таисия, моя сестра, моложе меня, ей 34 года, она в Штатах по приглашению. Она востоковед. Весьма талантлива в своей сфере. Мне есть где остановиться. И с визой проблем нет. Но все-таки мне странно, чего вы от меня хотите?..

– Будем откровенны, Петр. Как у вас говорят, дашь на дашь. Я знаю, для ваших идей и книг этот Дом бессмертных – целая находка. Золотая рыбка. Мне же от вас нужна Россия.

– Ого! Ну и размах у вас.

Мутные глаза Альфреда заблестели, но каким-то непонятным блеском.

– Я бывал в России. Много общался с русскими эмигрантами в Америке. Но саму Россию я не понял. Надеюсь, вы согласитесь познакомить меня с интеллектуальными, интересными духовно людьми в России, даже с эзотериками?

– Почему нет? Тот, кто захочет из них, – пожалуйста.

– Прекрасно. Тогда по рукам. Или по ногам – как точнее у вас говорят?

– По уму, – сухо ответил Румов. – Знаете, я вот на вас гляжу...

Альфред захохотал:

– Это слишком по-русски. «Гляжу». На Западе неприлично глядеть друг на друга, точно безумные... Ха-ха...

– Альфред, не перебивайте. Я чувствую, что мы с вами – путешественники по незнаемому. Но смысл путешествия, думаю, у нас разный...

– Ничего, ничего. В чем-то мы все же схожи...

Обед кончился сыром, вином. Решили приготовиться к отъезду.

За день до вылета Петр посетил некоего Жура, точнее, Журкина, существо, которое он знал еще по России и Латвии. «Существом» Журкин был потому, что так сам себя называл. Происхождение его было таково: в нем смешались немецкая, русская, удмуртская кровь и еще кровь какого-то маленького енисейского народа, человек в 500, не больше, наверное. Но все это было не так уж важно по сравнению с его небывалым характером и приступами истерических прорицаний, которые порой овладевали им... Как он существовал в Париже, было непонятно, но вертелся он вокруг всяких ищущих небесной истины людей, в основном русских и голландцев. Однако у них был учитель.

Журкин просил называть его Журом и никак иначе. В целом себя он считал причудливой тварью и очень этим гордился.

– Причудливых тварей мало, – говаривал он. – И я одна из них.

Молод он был еще и любил плясать. В меру образован. Петра он встретил ласково.

– Главное, Петя, чтоб твой самолет не упал. Всякое бывает. Но что бы ни случилось – жив завсегда останешься. Такая на тебе печать.

Рассказ Петра об Альфреде он выслушал с ужасом.

– Опасайся его, Петя.

– Почему?

– Почему – не знаю. Но опасайся.

...Петр дремал в самолете Париж – Нью-Йорк. Рядом, у окна, сидел Альфред, что-то углубленно читая. «Все же как-то неприятно не чувствовать земли», – поежился Румов.

Подали завтрак. Альфред выпил вино и спросил, прервав неожиданное и странно-долгое молчание:

– С английским языком у вас порядок?

– Владею свободно. Французский еле-еле.

– У меня, кроме английского, конечно, свободно французский, немецкий и ваш, русский.

– Вот и чудесно, – полюбезничал Румов и опять задремал, а затем быстро заснул.

Внезапно ему приснилось, что самолет упал, но сам он не падает. Его происходящее с самолетом совершенно не касается. Оставалось вечное сияние его чистого сознания. И он был в этом сознании во сне.

Когда Румов проснулся, то удивился, почему самолет не упал. Рядом вовсю улыбался Альфред.

– Как долго вы спали! – умильно заявил он. – Скоро садимся.

– Куда?

От удивления Альфред пошевелил бровями.

Глава 2

В аэропорту Румова встречала его сводная сестра Таисия. Ее радостное лицо Петр сразу заметил среди своры деловых лиц.

Румов любил сестру не только потому, что она была его сестра. В ней было что-то глубоко запредельное, родное, что было и в нем самом, Румове. Но в ней это было более неуловимым и иррациональным.

В Москве в данный момент у нее оставался друг, с которым она была в гражданском браке. Но существовал еще и третий, до обморока влюбленный в нее; одним словом – классический треугольник.

«Она не может быть моей женой, – неожиданно мелькнула мысль у Петра, когда он подходил к сестре. – Но зато вполне вероятен философский инцест».

И он поцеловал сестру. Она была нежная, но уверенная. «Такая же стройная, как всегда, – подумал Петр. – Те же каштановые волосы, а глаза...» – мысль его даже оборвалась, а потом вдруг всплыли стихи: «Этот голос – он твой, и его непонятному звуку...»

...С Альфредом Петр договорился встретиться на следующий же день. Таисия взяла такси, и они понеслись мимо небоскребов, пока не оказались в маленькой уютной квартирке, где жила Таисия. Квартирку на время предоставила обнаруженная родственница, родители которой бежали за границу от ужасов Гражданской войны еще в 1918 году.

Петра охватило чувство уюта в присутствии сестры, но долго беседовать он не смог; чувствовал неестественное даже утомление от перелета. И тяжелый сон его не прерывался до утра...

...И еле успел он позавтракать, как за ним заехал, как и договаривались, Альфред.

– Куда мы едем? – спросил Румов, усевшись в машину.

– Сегодня – к знаменитому на весь западный мир художнику-концептуалисту Аллену Га.

– Ого! – только и ответил Румов.

– Этот парень только что сбежал из предварительного Дома бессмертных. Или его самого выгнали за недостойное поведение. Га обожает меня как смертолога. Я раньше работал с ним. Сейчас мы друзья.

Вскоре они оказались в гигантской мастерской художника. Га, которому было далеко за 80, выглядел просто, молодцевато и демократично. Обыкновенные джинсы, рубаха, короткая стрижка. Смертолога Га встретил с объятиями. И присутствие Румова поощрил.

– Раз он твой друг, Альфред, с ним можно говорить запросто. Ха-ха-ха! – проговорил Га и пригласил их в комнату, квадратных метров 70–80, служившую, видимо, гостиной или приемной. Расселись за круглым столом.

– Начнем с виски, – хохотнул Га.

Впрочем, на столе стоял целый набор разных напитков. Начало оказалось хорошим, но потребление напитков, несмотря на их обилие, было сдержанным, цивилизованным. Рядом, на столе, лежал чудовищных размеров альбом, посвященный картинам Га. И Альфред быстро перевел разговор на его картины, их ценность для культуры. Га расхохотался.

– Дорогой, – произнес он. – Я всегда считал, что смертологи не лишены чувства юмора... Но уж с вами, со смертологами, – он посмотрел на Румова, – меня всегда тянет на откровенность. Неужели вы всерьез думаете, что все это современное искусство имеет подлинную художественную ценность? Это же чистый бизнес и ничего более...

– Объясните тогда, Аллен, – прикинулся дурачком Альфред. – Я смертолог, это мой бизнес, и я не обязан разбираться в искусстве.

– Не оправдывайтесь. Возьмем любую мою картину, – он открыл наугад альбом. – Вот прославленная «Ирония дружбы». Это концепция. Картина же ничего не изображает, кроме нескольких своеобразных точек, удачно расположенных. Кругом же пустота. Любой идиот может такое нарисовать. И таких картин у меня множество. Дело в концепции, а нарисовать под концепцию можно все что угодно, вернее, рисовать-то особенно нечего. «Завтрак на луне», «Принцип свободы», «Где мы?» (на этой картине вообще ничего не нарисовано), «Абсолютная свобода», «Кошка и туалет» и так далее. И знаете, сколько я заработал на этой ерунде? Правда, галерея моя несравнимо больше получила, чем я...

– В чем же секрет? – вежливо улыбнулся Румов.

– Секрет в том, что при такой ситуации художников можно назначать и манипулировать ими. Воротилы этого бизнеса назначают и продвигают в знаменитости тех, кто реально подходит – по своему характеру, политкорректности, управляемости и т.д. И зарабатывают на этом большие деньги, легко и просто.

– Значит, это явное мошенничество, – вставил Альфред, делая вид, что удивлен.

– Разумеется. Впрочем, как и политика, многое в бизнесе. Не мы одни.

– С литературой совершать подобное труднее, – заметил Румов.

– Труднее, – согласился Альфред.

Га отхлебнул виски с содовой, всего один глоток, и высказался:

– Хватит. Меня это уже не интересует. Мне 86 лет. И я давно заработал свои миллионы. Покупатели внушаемы, и им заморочить голову современными способами ничего не стоит. Художники и галерейщики хохочут над ними. Я могу насрать в детский горшок и продать это произведение за большие деньги. Потому что продается уже мое имя. То, что я насрал, – это мое художественное выражение. Одному Богу известно, что происходит в моих кишках, когда я рисую. Мое дерьмо – это не дерьмо простого смертного. Извольте платить в этом мире, где все продается...

– Такое самовыражение, как известно, практикуется, – сказал Альфред, пожав плечами.

– О, Аль, – воскликнул художник, – хватит о дерьме. Поговорим о смерти. Я бы с удовольствием насрал на свою могилу, если б это было возможно. И продал бы все это вместе... Сейчас меня интересует только продление моей жизни на как можно больший срок. Но здесь у меня фиаско.

– Аллен, что же случилось у тебя в Доме бессмертных? Ведь, насколько я знаю, все шло хорошо, – спросил несколько торжественно Альфред.

– Ничего хорошего. У меня возникли сомнения, недоверие. Все эти анализы, изучение, какие-то препараты, танцы, в конце концов. Я все-таки художник, человек нервный...

– И что же? Только сомнения?

– Тут еще случай произошел. Скандальный. В соседнем номере лежал старый миллиардер, почти столетний. Из тех, кто контролирует мировые финансовые потоки, назначает наемных президентов или убирает их, когда надо, покупает целые страны, а не какие-то там самолеты и небоскребы...

– Как его имя? – осторожно спросил Румов.

– Такие себя особо не рекламируют. Реальная власть не нуждается в рекламе... Итак, рано утром я почему-то проснулся, затосковал и вышел в коридор. Гляжу, а у соседа дверь приоткрыта. Я от тоски зашел. Номера у нас, конечно, роскошные. Я возьми и загляни в спальню. Властитель мира лежит себе на спине. Я смотрю, лицо не то что сухонькое, а до такой степени деревянное, неживое, что меня, как током, осенило: да он же мертвый! Подошел – вроде не дышит, не шевелится. Вот тебе и бессмертие! Я рассвирепел, злоба охватила: и здесь врут! Я взял и харкнул ему в рожу. Думаю, мертвый все стерпит. А он вдруг один глаз, мутный такой, серый, ничего не выражающий, приоткрыл, смотрит на меня и говорит: «How are you?» У меня истерика. Я ему член свой показал и тоже спросил, разумеется: «How are you?» Тут дежурная сестра вошла. Скандал, одним словом. Она кричит, а миллиардер, или триллионер скорее, закрыл глаз и не движется... Короче, меня выперли. Можно было бы, наверное, замять, за деньги, конечно, но я осатанел от злости и не противился.

Румов хохотал. Альфред оставался серьезным, но виски хлебнул.

– Путают они головы. Им, конечно, какие-то научные эксперименты нужны. И деньги на это. Может быть, в будущем когда-нибудь дотянут миллиардеров до 150 лет жизни. Стоить будет бешеных денег... Но я не верю, бред это. А эти твари платят за надежду и цепляются за свое тело, чуют, что в ином мире, если он есть, им тяжко, жутко станет... Наверное, еще хуже, чем сейчас. Меня сейчас другое интересует.

И Га указал на книгу, лежащую около бутылки с содовой, перевернул, и в глаза всем бросилось крупными золотыми буквами выделенное название книги: «Делайте бизнес на собственной смерти. Фундаментальное руководство». Румов даже подскочил от радости: до этого они должны были докатиться.

– И как? Поделитесь? – сказал он.

– Надо читать это исследование. Внимательно. Лично я предлагаю, например, такой вариант, при условии, что вы все же известный человек: дня за два-три, а лучше за день до смерти поучаствовать и покривляться, хоть голеньким, в шоу-бизнесе. Зрители должны знать, что вы обречены. На этом, думаю, можно хорошо заработать, если сделать с толком, и потом в свой срок умереть. Это будет честный бизнес...

Альфред задумчиво полистал книгу.

– Вы, конечно, посмеетесь, – продолжал Га, – но здесь, в конце концов, соблюден главный принцип этой цивилизации: любой шаг в вашей жизни, тем более важный шаг, должен приносить деньги. Даже самое плевое дело. А смерть – это не плевое дело.

Га подмигнул в пустоту и хлебнул виски. Петр был поражен тем серьезным тоном, с которым Аллен произнес эту речь. Румов даже почувствовал, что он оказался в сумасшедшем доме, но в чем-то позитивном. Лицо Га словно застыло – и ни одной саркастической улыбки, а взгляд остекленел. Но Альфред оставался невозмутим. Тогда Румов решил переменить тему разговора.

– Аллен, – начал он. – Вы отлично рассказали о манипуляции и контроле над современным искусством. Но в литературе такого наглого эффекта труднее достичь.

– Конечно, труднее, – слегка оживился Аллен. – Но, Петр, и тут возможно. Неужели вы думаете, что для них сложно выдвинуть какого-нибудь поэта второго или третьего ряда на первый план, создать прессу, дать международную суперпрестижную премию? Конечно, если этот поэт, пусть из любой другой страны, нужен по каким-либо политическим, идеологическим или другим, сокрытым от непосвященных обстоятельствам... Но все это в конечном счете не важно...

И Аллен вдруг впал в ярость:

– Я устал, устал от своего нелепого человеческого тела, которое скоро сгниет, от этого идиотского мира, созданного по ошибке... От этого мира-урода, где живут за счет пожирания друг друга... Живут за счет смерти... Хоть бы он скорее провалился или прилетели бы сюда какие-нибудь ошалевшие инопланетяне, а еще лучше –

черти прорвались бы сюда и научили бы нас, как надо жить...

Но Румов прервал его, прочитав наизусть по-русски стихи:

> Но явь, как гнусный и злой подлог,
> Кривлянье жадных до крови губ.
> Молю: исчезни, железный бог,
> Огромный, скользкий на ощупь труп.

– Что он говорит? – покраснев, Га обратился к Альфреду.

– Он прочел стихи русского поэта.

– О чем?

– О том, о чем говорили вы, Аллен. Но только на неизмеримо более высоком и мистическом уровне.

– О'кей. Мир спасет только смерть.

– Нет, Аллен, нет! – вдруг вспыхнул Альфред. – Мир спасет новый, но предсказанный Мессия... Он явится, чтобы спасти всех, даже самых злобных и подлых...

Румов почему-то замер, почти остолбенел, но потом резко взглянул на Альфреда, пытаясь проникнуть в тайный смысл его слов...

На этом визит быстро закончился. Молча выпили и ушли.

Следующий день Петр провел с сестрой.

– Эту квартиру предоставила мне Аня, помнишь, внучка беглых эмигрантов, которая приезжала к нам в Москву и останавливалась у меня? – сказала Таисия за завтраком. – Сама она уехала отдохнуть.

– Забудем о ней, – предложил Румов. – Вспомним себя. В ранней юности мы познавали себя через друг друга. Ты для меня была моим духовным зеркалом...

– И ты для меня тоже.

– На уровне души многое передалось через нашу мать, но мой отец рано умер, а твой, мой отчим как бы...

– Он любил тебя не меньше, чем меня. Но больше всех он любил нашу мать. Она ведь необыкновенная...

– Еще бы. Мы же знаем ее корни. Глубина веков, Иван Грозный, боярство...

– Я тебя всегда звала и зову, Петрунечка... Немного страшно, когда есть столько тайно-общего в душе... У обычных брата и сестры это далеко не всегда так... Может быть, ты мой духовный двойник или что-либо подобное...

– Тася, когда умрем, на том свете все станет кристально ясным. Кто есть кто, и кто мы друг другу в последней глубине души. Не будем гадать, а то так и с ума можно сойти... Лучше скажи, как тебе Америка?

Таисия медленно отпила из чашечки чай и ответила:

– Да ты и сам все знаешь... Тут как раз редкий случай, когда все понятно.

– Ох, это тяжело, когда все понятно, – вздохнул Румов.

– Ну, вот случай. На какой-то университетской тусовке я разговорилась с профессором французской литературы. Я сдуру почему-то спросила его что-то о рассказах Мопассана. Он удивился и ответил, что он специалист по французской литературе XVII и XVIII веков и никакого Мопассана даже не читал. Оказалось, он не читал ни Камю, ни Шекспира, ни Диккенса... Я изумилась, а он изумился моему изумлению. «Таисия, – ответил он, – знать Мопассана или Шекспира – не моя работа. Я получаю деньги за французскую литературу XVII и XVIII веков, преподаю именно ее... И потом, сейчас не рабочее время, почему же вы спрашиваете меня о литературе?»

Петр развел руками.

– Случай в точку, – проговорил он.

– Конечно. Культура для них не форма жизни, а просто средство зарабатывания денег. Не более чем чистка улиц. Никакой разницы. Что Шекспир, что дерьмо. А другой тип мне пояснил, что он ничем не интересуется и занимается только тем, что приносит деньги. Все в жизни, что не приносит денег, его вообще не интересует и не касается. И так считают практически все, – заключила Таисия.

Румов вздохнул.

– Ты только наглядно подтверждаешь то, о чем пишут некоторые честные социологи на самом Западе, в Европе, конечно. На мой взгляд, самое страшное – это то, что деньги присутствуют в сознании, как говорится, в самой душе, вытесняя из нее все человеческое. Можно быть вполне богатым и жить подлинной жизнью, как жила, например, аристократия, наше дворянство. Деньги были для них только средством, а жили-то они другим.

– Конечно, я встречала исключения здесь. Людей, которые духовно вне этой цивилизации голого чистогана, – заметила Таисия. – Да и совсем простые люди, фермеры, – у них не так все плохо... Кроме того, черная раса. Они, по-моему, тоже другие, не так захвачены всем этим, более стихийны; лучше они в этом плане...

– На самом деле, я думаю, все гораздо страшнее, чем кажется на первый взгляд. Я чувствую это и по моему опыту в Европе. Никакой европейской цивилизации уже не существует. Остались музеи и островки ее. Родилась, как уже пишут, некая новая цивилизация, постчеловеческая, в которой христианство отступило на задний план или...

– В Америке это уже никакое не христианство. Просто политизированная карикатура на религию, – прервала его Таисия. – Вообще же тут очень тонкий момент. Такое ощущение, что у западных людей выпал тот высший уровень души, который связывает человека с духовной реальностью, с вертикалью. Выпал, как будто его и не было. На самом деле, по большому счету, это жутковато.

– Остров смерти, как писал еще в начале XX века Александр Блок о Западе... Эта тема такова, что мы, кажется, забыли, что завтракаем...

Таисия рассмеялась.

– Допивай чай, в конце концов... А то остынет... Ко мне как-то на одной встрече после лекции подошел довольно известный профессор русской литературы, специалист у них по русской ментальности, и почти шепотом сказал мне, указывая глазами на толпу: «Поймите, что они тоже люди». Я, откровенно говоря, была поражена: он тоже знает...

– Ладно, хватит об этом, – вздохнул Румов. – Тася, ты сколько здесь живешь, в этой квартире?

– Почти с приезда, два месяца. Мой срок кончается.

– За это время она стала прибежищем русского духа. Не надо быть визионером, чтобы почувствовать, что в этих комнатах не осталось ничего американского.

– Здесь-то не осталось. Но эта цивилизация, как чудище, со своими долларами влезла в Россию... Как там, у нас?

– За два месяца ничего не изменилось. Но у нас другое. У нас – хаос. Хаос в головах. Но вертикаль к небу-то сохранилась, сама знаешь –

сколько бы таких людей ни было, важно их присутствие. У нас же вертикаль идет и вверх, и вниз, во тьму... Есть и то, и другое...

– Еще бы, – Таисия даже оживилась. – Такие фантастические типы в этой тьме вылезают. Одно загляденье. Да и помешательство на долларах носит скорее какой-то неустойчивый, патологический характер у многих. Это ужасно, но совсем не так, как на Западе. Истерия пройдет... У нас все иначе.

– Ну, уж это точно. Лучше быть падшим, чем мертвым. Да и не одни падшие у нас. Люди-то очень живые в России, и те, кто падший, и хорошие, и духовные, и всякие. Хаос у нас – мать родная. Переходный период.

– Да, вот японцы, – заключила Таисия. – Экономика современная, капитализм, предпринимательство, а культуру свою сохранили. Человека своего сохранили. Да и любой предприниматель, делая деньги, может быть свободным человеком, в конце концов, а не каким-то приложением к долларам.

...Завтрак быстро закончился. Начались телефонные звонки. Румов посмотрел библиотечку. Им двоим вдруг стало как-то по-русски и породственному бесконечно уютно вдвоем. И не хотелось никуда уходить, вспоминая Россию, свою душу и что-то еще, леса, стихи, символы, слова, тишину... Но к вечеру Таисия повела брата своего на встречу с какими-то специалистами по культуре...

Глава 3

На следующий день, как и было договорено, Альфред повез Румова в тот самый предварительный Дом бессмертных, из которого изгнали самого Га. По узким, зажатым небоскребами улочкам, наполненным людьми и бредом, они выехали в пригород Нью-Йорка. Альфред вел машину спокойно, искусно, но в отношении Дома бессмертных был мрачен.

– Сами увидите, и не хватайтесь только за голову, – предупредил он Румова.

Наконец они подъехали, можно сказать, к самому бессмертию как таковому. Но вход туда был надежно закрыт. Огромное здание, но не небоскреб, конечно; рядом – мелкие подсобные домишки, необычный, мощный забор, как будто за ним была не лечебница, а тюрьма – вот что сразу бросилось в глаза Румову.

У входа у Альфреда настойчиво и угрюмо проверяли документы, но вдруг появился человек, которому Альфред предварительно позвонил. Человечек этот был словно главнокомандующий. По его мановению и Альфред, и Румов были мгновенно пропущены внутрь. Румов успел прочитать на документе фамилию Альфреда: Норинг. Альфред уловил взгляд Румова и ехидно-добродушно бросил:

– Чушь все эти мои имена. Но мое подлинное имя, Петр, вы когда-нибудь познаете.

Человечек как-то почтительно, словно он азиат, отнесся к Альфреду.

...Лифт, четвертый этаж. И Альфред тут же скрылся, вместе с человечком, за дверью ближайшего кабинета.

– Ждите меня, Петр. Я быстро, – сказал он, обернувшись к Румову.

И Петр остался один в бесконечно длинном, безмолвном коридоре. Ни души, ни черта, ни насекомого – одна стерильная пустота. Как будто ничего, кроме этих стен, по бокам коридора вообще не существует. Но ждать пришлось недолго. Альфред вышел какой-то раскрасневшийся.

– Начнем, – сказал он Румову и почему-то обнял его.

Через две-три минуты Альфред Норинг ввел Румова в роскошный огромный зал.

– Это их ресторан. В это время, минут через десять, они должны почти все, за редким исключением, прийти сюда на обед. Все другие мероприятия проводятся индивидуально или небольшими группами. Но сейчас мы увидим их вместе.

– Кого «их»?

– Претендентов на бессмертие.

Альфред ухмыльнулся, и они сели за столик. Пока в этом роскошном, но странном полутемном зале они сидели одни. Опять ни души, ни черта. Альфред обратился к Румову:

– Петр, вы, конечно, понимаете, что болезни, старость и прочее – это одно, а смерть – совершенно другое. Здесь нет причинно-следственной связи. Вы это знаете как адепт эзотеризма и традиционалистской метафизики. Но это подтверждается и опытом. На крысах. Их так лелеяли, что это были совершенно здоровые крысы, с заторможенным старением, тем не менее в свой положенный срок они умерли, ни с того ни с сего, будучи совершенно здоровыми и веселыми. Остановилось сердце, видимо, и все. Смерть побеждает всегда одна, ей не нужны сопутники, и победить старение – это не значит победить смерть. В отличие от старости смерть – мистическое явление, а не физиологическое. Поэтому потуги этих ученых-циклопов победить смерть обречены... Но продлить жизнь лет до 150–160 возможно, но затратно. Придет только один человек, который раскроет тайну и возможность физического бессмертия... Но до его прихода далеко.

Румов плохо расслышал последние две фразы – уже входили «бессмертные», – но его все-таки почему-то передернуло. Они входили чинно, важно, и хотя движения были медленные, чувствовалось, что когда-то это были стройные, подвижные люди. Рассаживались, и официантки тут же подавали им меню.

Столик Румова и Норинга был для двоих, но другие столики располагались совсем рядом, и вообще, лица пришедших, даже их глаза, виделись отлично. Румов и Норинг предпочли говорить тихо и по-русски.

– Что вы ощущаете по поводу этих властителей мира, точнее, финансовых потоков, которые они, собственно, и отождествляют с миром? Поверьте, для этих людей единственная реальность – это деньги. Такого еще в истории не было, – проговорил Альфред. – Что же вы чувствуете, какая аура сейчас; вы же интуит, по крайней мере...

Румов вздохнул.

– Я чувствую что-то огромное, но духовно, метафизически абсолютно бессмысленное.

– Очень точно, – слегка рассмеялся Альфред. – Именно бессмысленное. Я работаю с ними, Петр, вы обратите внимание на их глаза: в них одна бездонная, бесконечная, леденящая пустота. Хотя они не осознают свою суть. Эти люди в большинстве своем – монстры пустоты... Постарайтесь поймать взгляд...

Румов осторожно напрягся и поймал. Альфред продолжал:

– Взгляд их не жесткий, не жестокий, но безразлично пустой. Если надо убрать кого или что, не важно, это делается не с эмоциями, не с садизмом, а абсолютно безразлично, как отодвигают стул. Но отодвигают, или убирают, не что-то, а президентов других стран, глав правительств и так далее. Некоторые из них находятся на пике финансового могущества. Но в этом зале такого уровня сейчас нет... Были – они уже в самом Доме бессмертных. Но остались те, кто в их системе...

– Они, видимо, – сказал Петр, – смотрят на супротивников, как на предмет. Потому никаких эмоций. Просто бизнес. Я слышал, даже во время Второй мировой войны одна американская фирма поставляла в нацистскую Германию нефть, с помощью которой немцы на своих танках убивали тех же американцев. И никто, никакой президент не мог и слова им сказать, не то что воспрепятствовать. Потому что бизнес. При чем здесь война, враги и т. д.? Бизнес, деньги превыше всего.

– Это обычное дело, – сухо ответил Норинг, отпивая кофе. – Главное – не их дела, какими бы жуткими они ни были, а их сознание. Во всяком случае, для них это самое важное, ибо определяет их будущее. Как-то не инстинктивно, а скорее рационально они боятся смерти. И потому такой психоз по поводу продления жизни. Но даже их психоз механистичен. У них механистично все, даже страх. Есть только одно: цивилизационная маска на конструкторских харях. Эту маску кто-нибудь неискушенный может принять за их душу; на самом деле это маска, а внутри – бесконечная пустота. Это новый тип человека, если можно так выразиться.

Румов огляделся, бросил взгляд на эти лица, или маски, властителей мира, элиты его. А потом вдруг спросил:

– А нас не подслушивают?

Норинг расхохотался.

– Здесь других проблем хватает.

«Бессмертные» ели. Румов вдруг почувствовал отвращение к еде.

– Хорошо, – сказал он. – Эдакая внутренняя механистичность...

– Они даже картины классиков в музеях смотрят именно так, – прервал Норинг.

– Но тогда, Альфред, в чем ваша задача, что вы делаете с таким материалом, какому бессмертию учите?

Альфред откинулся на спинку кресла.

– Это моя профессиональная тайна. Здесь, конечно, их обрабатывают разными лекарственными и иными составами, не то что в самом Доме или на Корабле... Но психологии здесь уделяется много внимания.

– Какой психологии?

– Дело в том, что внутри их пустоты проходят определенные процессы. Они ведь все же между смертью и новой технологией продолжения жизни. В основном сюда все-таки идут старики, и часто уже больные не разумом, но как-то иначе; они не могут понять, почему они вынуты из финансовой жизни, ибо для них управление этим – как вечность. Идут процессы, и я должен их контролировать...

Румову стало тошно, и он перевел разговор на другую тему.

...Правители мира сего наелись и стали уходить так же чинно и важно, как и вошли. И внезапно один пустился в пляс. Гармония рухнула. Но плясал он странно – не так, будто душа нараспашку, а наоборот. Но быстро все исчезли, однако, или Румову так показалось. Вообще, в этом зале ему стало почему-то казаться.

– Всегда есть исключения, – задумчиво сказал Альфред. – И к одному из них мы сейчас пойдем.

...Они пошли тихим шагом. В коридорах опять ни души. Но за дверью некоторых кабинетов слышались голоса.

– Мы идем к Джону Пупперу, – произнес Альфред.

Румов понимающе кивнул головой, хотя на самом деле никогда не слышал такое имя.

– Могу сказать о нем, что одна его сестра удавилась, другая влезла в автомобиль свой и пустила газ... Они были ученые, китаеведка и японоведка. Покончили они самоубийством из-за того, что не добились карьерного успеха. Брат помогал им деньгами, но они утверждали себя, гордые, независимые американки, но их карьера зашла в тупик, оборвалась. Если в жизни нет успеха, значит, ты ничто.

– Им не приходило в голову, что самый большой успех, который можно получить, – это родиться человеком?

– Нет, конечно, – пробормотал Норинг. – С этим типом, старым, истеричным и исключительным, весьма трудно. Он потерял интерес к внешнему миру. Мне удалось убедить его в том, что любые предметы, которые его окружают, – это на самом деле сексуальные объекты, к которым и надо проявлять живой интерес. Я объяснил ему, почему так, ибо объяснить можно все... Он ожил, и потому с ним можно вести мой психологический бизнес. Администрация благодарна мне...

Наконец они дошли до соответствующей двери. Альфред позвонил. Высунулась лохматая голова и бессмысленно-пронзительные, устойчиво-уверенные глазки на лице.

Вошли. Румова представили как помощника Альфреда. Пуппер хохотнул:

– Альфред, я, истинный американец, стал идти против здравого смысла... Ха-ха-ха... О'кей... Потому что я убежден теперь, что никогда не умру... Ха-ха-ха. О'кей. Прошу в мой кабинет.

Кабинет оказался просторным.

– Только не садитесь на диван. Это мой лучший любовник. И в кресла не садитесь, они слишком нежные, как девушки... В них погружаешься, как в вагину... Это мое... Садитесь на стулья вокруг стола. Я сяду в любимое кресло. Рассказывайте, Альфред, что творится в мире. Я отстал, я не понимаю, почему землетрясения или бомбы нельзя ощутить как сексуальный объект...

Пуппер говорил быстро, не давая сказать никому ни слова, до тех пор, пока Альфред резко не произнес:

– Мой друг Румов, русский.

Пуппер замер. Возникла тишина.

– Но мы уничтожили русских, – удивленно проговорил Пуппер, расширив глазки. – Россию мы разгромили. Это сделало ЦРУ и другие ведомства...

Альфред раздраженно прервал его:

– Это не совсем так, Джон. Россия осталась. И русские тоже.

– Может быть, только формально, – пробормотал Пуппер.

Альфред обернулся к Румову и сказал ему по-русски:

– Не обращайте внимания.

Румов только-только собрался что-то ответить, как Пуппер вдруг прямо-таки прыгнул на свой сексуально любимый диван.

– Вы открыли мне целый мир, Альфред! – дико возопил он. – Теперь мне хочется жить. Кругом одни бабы. Да еще покорные, под тебя! Я чувствую, что никогда не умру! Скорей бы взяли на Корабль бессмертных, чуть-чуть поднакачать меня надо чем-нибудь секретным, и я буду славный парень! О'кей!

«Что его так разбередило? – подумал Румов. – Но хорош, хорош! Наверное, его будут использовать как материал...»

Альфред угадал мысли Румова:

– Ни в коем случае. Только частично, – сказал он загадочно, опять по-русски.

Но Пуппер уже не обращал на них внимания. Он визжал, вопил, что он навсегда бессмертный и весь земной шар со своими городами и небоскребами – его любовница. Альфред смотрел на него властно и снисходительно. Румов почувствовал, что Норинг обладает какой-то альтернативной силой.

...Взъерошенные этим обходом сильных мира сего, Румов вместе с Альфредом покинули Дом.

– Все в этой стране под контролем, – процедил Норинг сквозь зубы. – Даже сумасшествие. И тем более бессмертие.

На прощание решили встречаться по-прежнему, но посещать «бессмертных» Румов отказался.

Он вернулся к сестре и, войдя в квартиру, от ужаса перед увиденным расцеловал ее.

– Антропологическая катастрофа неизбежна, род человеческий станет иным, прямо скажем, жутковатым, – заключил он.

И они решили пуститься, пока не поздно, в загул. Дни замелькали стремительно и пестро. Встречи, студенты, музеи, профессора и здания, небоскребы, движение, азарт на улицах будили воображение больше, чем сами люди. Приближался срок возвращения Таисии в Москву, и Петр тоже решил покинуть Америку вместе с сестрой.

Еще раз Петр вместе с Альфредом посетил Дом бессмертных. На этот раз ему просто стало скучно от всей этой странной приниженной ауры бессмысленных бесед. Зато Таисия немного удивила и развлекла его. Оказалось, что на ее руку претендовал некий американский миллионер, с которым ей довелось познакомиться на одной из встреч. Миллионер был из скромного ряда и к тому же немного растерян внутренне, как многие американцы, ищущие «покоя и мира в уме», так называемого peace of mind. Ум не давал им покоя, теребил их нервы, путал сновидения. Он вечно блуждал по темным коридорам бесконечных забот, оплат, в поисках работы и так далее.

Миллионера звали Майкл Стимсон. Таисия не понимала, чем она разбередила его ум. Она ничего особенного ему не говорила, так, мимоходом... Он стал приглашать ее на разные встречи, раунды, где за столиком можно было поговорить. И он признался ей, что она открыла для него целый мир, о котором он раньше не имел никакого представления.

– Вы всегда в своем разговоре употребляли слова, которые мы обычно не используем, – о своих настроениях, переживаниях, тоске... Иными словами, вы раскрыли мне свою русскую душу. И мне теперь трудно без вас в этой постоянной суете и погоне, – поведал этот Майкл ей.

Таисия отчаянно пыталась восстановить в памяти, что же такого она ему наговорила, но так и не могла вспомнить хоть что-то. Она, озадаченная, со смехом рассказала об этой истории брату.

– Разумеется, я категорически отказала ему и его вилле во Флориде. Когда я себя представляла в виде его жены, то приходила в ужас от этой картины. Скука, бессмысленность вдали от России и нашего круга в Москве, без которых и жить немыслимо; без наших друзей... Вдали от нашей какой-то немыслимо притягивающей к себе русской жизни.

– Это уж точно. Сомнений нет, – заметил Румов.

– Я уж не говорю о тебе и близких... Кстати, сам он, Майкл этот, вполне порядочный и где-то добрый человек. Но, в принципе, отбросив личный и национальный момент, если бы я осталась... Здесь не будет жизни души. Жизнь души прекратится.

Петр и Таисия сидели друг против друга на диване, в уютной, ставшей достаточно русской временной квартире Таисии.

– Что ты так взволновалась, Тася, – заметил Румов. – Тебя, видимо, больше всего задела чисто теоретическая мысль остаться здесь навсегда. Ты же никогда за него не захочешь выйти, но твое воображение, сама возможность жить здесь тебя привела в ужас.

– Конечно.

– Хорошо. Представим. Ты говоришь о смерти души. Тем более в нашем понимании. Но дух, если он есть в человеке, его нельзя убить. Даже в аду.

– Но для нас душа так же важна, как и дух.

– В том-то и дело. Духовно выжить здесь можно только в лесу, в полном одиночестве, а не в идиотской семье миллионера или кого угодно... Я же бывал здесь раньше. На этой земле нет Святого Духа... В поверженной Европе кое-что осталось от остатков культуры, от дыхания и ауры старинных церквей. Чуть-чуть.

– А у нас?

– А у нас, – произнес Румов, – у нас реально есть Святой Дух, есть Бог. Но поэтому есть и дьявол. В конце концов, потому что дьявол ищет достойного противника. Что ему Америка? Карикатура на сатану! Зачем?

– А у нас, – тихо ответила Таисия, – вертикаль есть, но она идет и вниз. И вверх, запредельно, и вниз, во тьму.

– Здесь этого нет. Я обнаружил как-то телефон одной церкви. Звоню. Отвечает милый, нежный женский голос: «Церковь сатаны слушает. Мы со вниманием относимся к любым звонкам, готовы помочь...» Прочел я случаем об этой так называемой церкви. Даже князя мира сего спрофанировали, снизили, очернили, окарикатурили.

– И между тем, – прервала Таисия, – многие люди шарахаются при упоминании этого имени. Сам мир, сами они живут по его законам, пусть в самом примитивном издании, и шарахаются от него, крестятся... Типичная ситуация для этого рода людского. Живут им, а в глупом своем уме считают, что он их супротивник, от которого надо бежать...

...Разговор этот на том и закончился. Но через несколько дней выяснилось, что, несмотря на абсолютный отказ, Майкл не успокоился. Он звонил Таисии, говорил что-то о русской душе и о том, что он не может понять, почему ему отказали. «Это никак не укладывается в моем мозгу», – сказал он. И просил встретиться, приглашал в ресторан. Таисия попросила брата разобраться, помочь. Решили встретиться с Майклом, пусть даже в ресторане, но платить они будут сами за себя.

– Ты хоть объяснила ему свою ситуацию с мужем? – спросил Румов у сестры.

– Конечно. Я сказала, как есть. Что мы жили в гражданском браке, но недавно разошлись. Что сейчас у меня есть, как говорят здесь, друг, но мы не решились вступить в нормальный брак, расписаться; у меня есть колебания... В таком духе. Сказала даже, что Володя, мой коллега, кончал Институт востоковеденья... Его все интересовало... Откровенно говоря, я не ожидала такой его реакции, думала, мимолетные встречи, его бизнес связан с Востоком...

Последняя встреча все-таки состоялась. В ресторане.

– Я не могу понять, в чем дело, – заявил Майкл. – Отношения Таисии с этим Володей не скреплены браком. Знаете, Петр, я вполне в состоянии перевезти и ваших с Таисией родителей сюда, в Америку. Помочь вам найти здесь работу. Но почему?

Румов с сестрой отвечали, что Таисия любит своего Володю...

– Вы же, надеюсь, не решитесь и Володю перевезти сюда, – съязвил Румов.

Майкл расхохотался.

– В конце концов, почему нет? Мне больше всего нужна русская душа Таисии... Петр, поймите меня. Я много работаю. Бизнес – это дьявольский и рискованный труд. Он изматывает. Я не знаю, в чем секрет, но само излучение души Таисии действует на меня, как бальзам. Даже когда она говорит о погоде. Когда мы говорим о погоде, то все просто: погода прекрасная или погода плохая. Но всегда о'кей. Когда она об этом говорит, то я даже объяснить не могу, в чем дело. Она же не говорит ничего сверхъестественного. Я начал читать книги о России; заметьте, это действительно сверхъестественно – тратить время на то, что не приносит денег. А деньги – это мед. Но я мало что понял из этих книг. Скажите прямо, Таисия, вам, может быть, просто не нравится Америка? Мы можем значительную часть времени проводить в другой стране, на Востоке.

Таисия не могла скрыть своего раздражения. Румов приходил ей на выручку.

– У вас все замечательно, – заявлял он. – Точность, технология, дисциплина, организация – все отлично...

– Но нет души, нет человека в вашем понимании, – ответил Майкл. – Вот это я понял из одной книги о России. Книга называется «Жар-птица».

Румов нашел, что ответить:

– В вашей прессе, на телевидении постоянная русофобия, вражда к России и к русскому народу...

– Это политика, – сухо ответил Майкл.

Эта встреча окончательно убедила Майкла, что надежд нет.

– Я очень удивлен этим, – закончил он этот вечер. – Мне приходилось удивляться в жизни. Но такое огромное удивление, как от этого отказа, я не испытывал никогда. Это фантастическое удивление!

На этом фантастическом удивлении он и расстался.

...Дни опять потекли без препятствий. Петр и Таисия считали, сколько их осталось. Альфреду удалось-таки затащить уже их двоих в Дом бессмертных, тот самый. Все было по-прежнему чинно, важно и лекарственно. Но у одного претендента на бессмертие все-таки сдали нервы. В своей квартире, в гостиной, как только туда вошли Альфред, Петр и Таисия, он вдруг стал орать, истерично расширив глаза:

– К черту! Я буду жить двести лет! Двести лет! Двести лет! Не меньше!

Глаза его почернели от небывалой злости, смешанной с какой-то нечеловеческой надеждой.

Альфред оторопел, но Таисия вдруг резковато сказала:

– Знаете, дьявол живет миллионы лет, в его регионе другое время, и вам его не догнать.

Претендент как-то вытаращился и попросил воды.

На этом посещение закончилось. Таисия выходила первой, но в ее ушах все еще стоял надтреснутый крик: «Двести лет! Двести лет!» И мелькнули, как во сне, его обезумевшие глаза, ставшие иными, чем он сам.

Еще пять дней прошли не надрывно. На шестой день опять позвонил Альфред и упросил съездить с ним на выставку самого Га. Самого Га они не застали, но в конце осмотра Альфред вдруг спросил:

– Петр, что вы знаете о статуе Свободы?

– Она удивительным образом совпадает с обликом Прозерпины, богини ада у древних греков. И, наконец, это каменное выражение глаз, сама окаменелость, нечеловечность фигуры, факел, освещающий дорогу в ад!

Альфред хохотнул, даже как-то по-доброму.

– Изумительно! Вы или знали, или попали в цель! Это действительно Прозерпина, богиня ада! Или этот скульптор, подаривший Америке сию бабу, так съязвил, или это совпадение, знак свыше.

И Альфред опять хохотнул.

– Кстати, – продолжал он. – В Нью-Йорке существует подпольная, тайная секта людей, поклоняющихся Прозерпине и ее изображению в форме статуи Свободы. Но даже мне не удалось проникнуть в эту секту. Думаю, что эти ребята считают себя стопроцентно обреченными на ад и потому вымаливают у богини нечто, наверное, уму непостижимое... Ха-ха-ха!

– Альфред, черт с ней, с этой Свободой. Я чувствую, что вы меня вызвали, чтобы сказать что-то более серьезное...

– А заодно, – поправил Альфред, – все-таки посмотреть новые шедевры нашего драгоценного друга Га... Но вы опять попали в цель... Я наконец приглашаю вас на мою закрытую лекцию, которую я дам моим новым, свежеиспеченным сторонникам. Это, так сказать, вступительное слово. Итак, мой друг, я открываю карты и вам, и им...

Румов вздохнул с облегчением. «Ну, может быть, он действительно раскроет карты», –

мелькнула мысль. Но его изумило, что Альфред произнес этот пригласительный монолог, перейдя с русского на английский.

На следующий день Альфред сам приехал за Румовым и как-то ласков был с ним. Правил машиной Альфред прекрасно, и Румов, погруженный в свои мысли о России, не заметил, как пролетело время и они вышли... Где это было? Во всяком случае, они оказались перед серым, вытянутым в длину зданием. Здание как здание, впрочем. И вскоре Альфред и Румов вошли в комнату, точнее, в небольшой зал, где на стульях рядами расположились люди, человек 50, не больше. Все они встали, приветствуя своего Учителя. Публика была до странности многообразна. Но аура казалась напряженной и не совсем американской по духу; какая-то неопределенно другая. Видно было, что внешней стороне события не придавали никакого значения.

Альфред Норинг подошел к столу, расположенному на небольшом возвышении перед слушателями. На столе был микрофон, и никого около Норинга. Он был один. Румов приютился в третьем ряду сбоку. Он приготовился было слушать речь Альфреда, как вдруг страшная тоска овладела им. Тоска необъяснимая. Вовсе не по России, в которую он знал, что скоро вернется. Тоска ниоткуда. В этой тоске пропадали мысли, внимание, даже сама жизнь.

А Норинг уже стал говорить. Усилием воли Румов заставил себя сосредоточиться, но это далось ему с трудом. Моментами все уходило в пропасть за-сознания. Но постепенно он входил в речь Норинга.

Норинг говорил вдохновенно и с какой-то сдержанной яростью. Румов восхитился тому, как Альфред владеет людьми, их вниманием. Он, Альфред Норинг, начал с бешеного осуждения современной цивилизации. Здесь не было, конечно, банальных обвинений социального порядка и тому подобных. «Он сразу берет быка за рога», – подумал Румов. Речь шла об антропологической катастрофе, о том, что современная цивилизация – это гигантская фабрика по отправлению душ человеческих в ад. После так называемой смерти, разумеется.

– Души человеческие, отравленные смрадом, лицемерием, лживостью, финансовым фашизмом и его кровавыми войнами, духовным идиотизмом этой материалистической цивилизации голого чистогана, – говорил Норинг, – рекой сливаются в безысходные слои низших, адовых миров. И убитый, и убийца, и патологический до предела извращенец, и самый тупой порядочный обыватель, и правитель, и революционер, и богач, и миллиардер – все найдут там свой последний приют.

«Ну вот, говорит в общем нормальные вещи, – подумал Румов. – А я-то ожидал, что будет что-нибудь дикое, вроде полотен Га, безумное, как весь этот мир». И он опять стал впадать в некоторое пространное забвение. Но отдельные странные слова Альфреда, которые доходили до него, удивляли и пробуждали.

А Альфред тем временем все более овладевал своими почитателями, и голос его становился все более властным, а взгляд, брошенный в аудиторию, холодел. Звуки его голоса словно нависли над людьми.

– Что же будет? – цепенеюще звучали его слова. – Будет катастрофа, боль, войны, безумие, вторжение бесов, но и желание господства, злоба, жадность, пожирающие сердца людей. Но будет и время покоя, иллюзорного счастья. Прилив и отлив... Суть не в этой завораживающей смене... Суть в результате, итоге. А итог, как мы знаем из Откровения, может быть ужасным. Только малая часть рода людского спасется, остальные – обречены. Обречены на что? На скитания в низших мирах, на распад, на рассеянье... Человек станет пылью... Вихрь неизвестных сил унесет его от самого себя. Он будет завидовать и живым, и мертвым.

Альфред встал, и фигура его застыла, как некое изваяние пророка. Только голос жил и звенел.

– И тогда, перед самым концом этого мира, перед Страшным судом, Бог пошлет человеку спасение. Не какой-нибудь кучке святых, мудрецов, духовидцев, а всем, всем, всем!

Голос Норинга словно встал над оцепеневшими этими людьми, а сам он с упоенным упорством повторял:

– Всем! И добрым, и злым, и подлым, и праведным, и ничтожным, и великим – всем без исключения!

Альфред вдруг затопал ногами.

– Всем – на том основании, что все существуют, гнусные или прекрасные, но они... существуют! А то, что существует, не должно умереть, исчезнуть! Существует сейчас, значит, должно существовать всегда! И вот эту милость вечного существования людей на этой планете Бог подарит людям через своего посланника, который придет на землю перед концом мира. И он будет царствовать на земле. Ему, этому посланнику Божьему, будет открыта тайна физического бессмертия, тайна, разгадать которую взялись сейчас все эти слабоумные современные ученые-циклопы, ищущие то, что вне компетенции их ничтожного разума. Этому посланнику будет открыт тайный смысл философии великого Аристотеля. Он принесет людям вечное бытие и счастье на этой земле, в физическом теле. Благодаря его подвигу Страшный суд будет отменен, и немыслимое счастье охватит всех людей! Миллиарды людей будут выть от бесконечной, не вмещающейся в их мозг радости! И этот вой покроет землю, превратит ее в самую счастливую планету во Вселенной.

И Норинг стал говорить о том, что он предчувствует приход этого посланника, спасителя нашей земли, нашей планеты. И что ему дана духовная власть, которая выше любой другой формы власти, – подготовить людей к этому приходу. Подготовить так, что его ученики, умершие до прихода Божьего посланника, их души, будут снова воплощены на обновленной земле. Но для этого нужен грандиозный духовный труд...

– Не я дам вам эти знания и веру, а великий посланник через меня. Я лишь его орудие... В те моменты, когда он говорит во мне...

Закончил Норинг тем, что назначил следующую встречу.

– Никаких взносов, никаких денег не нужно, – предупредил он. – Самое великое и важное, как сама жизнь, дается людям даром, волею Божьей, – заключил он.

Румов, очнувшийся под конец этого выступления, смысл которого быстро дошел до него, обратил внимание, что на глазах многих людей были слезы. Альфред знаком указал Румову на желтую дверь в коридоре, чтобы он подождал его.

Комната, в которую вошел Румов, была пуста, только одинокий стол и четыре стула вокруг него. Ждать пришлось недолго. Норинг, напряженный в лице, вошел.

Румов приветствовал его такими словами:

– Альфред, дорогой, объясните, откуда у вас такая любовь к Антихристу?

Норинг спокойно сел как раз напротив Румова.

– Потому что я его посланник, – мирно сказал он.

Румов развел руками:

– Ну, тогда мы по разные стороны баррикад.

– Поймите, Петр, простую вещь, – с вдохновением начал Альфред. – Все мировые духовные традиции, включая христианство, говорят о спасении только некоторых. Истинный спаситель, то есть Антихрист, спасет всех. Потому что ему будет вручена от Бога тайна земли, тайна тела и жизни здесь, на этой планете. Никакого нового неба и новой земли или высших небесных миров людям не надо. Это убьет их, они все равно не вместят. Все должно совершиться здесь. Разумеется, Антихрист не против духовной жизни, но она должна совершаться здесь, на земле, когда люди будут хозяевами земной, телесной жизни. А не где-то там, в преображенном мире. Люди будут жить, сколько они хотят, а они будут желать жить вечно. Мы не отменяем предыдущие великие духовные традиции, мы просто возвращаем их на землю, ставим на ноги... Все детали такого хода истории будут ясны, когда Он придет и объяснит человечеству его миссию. Человечество и Антихрист будут едины.

– А как же дьявол? – не удержался Румов.

– Мы не позволим ему хозяйничать на земле, как это происходит сейчас. Возможны, правда, переговоры; князь мира сего появился неспроста, и, в конце концов, он тоже творение Божие. Или вы думаете, что он создал сам себя? Но мы не дадим ему распускать руки... Человечество, познавшее от Антихриста важнейшие тайны, станет крепким орешком, не то что сейчас, когда оно в состоянии идиотического маразма и само не понимает, что делает...

Румов, наконец, собрался с духом и стал говорить резко и серьезно.

– Альфред, я не знаю, чей вы посланник, и посланник ли вы вообще, но мне вас жаль. То, что вы проповедуете, – всего лишь старая как мир демоническая и в то же время детская по своей беспомощности мечта – временное сделать вечным. Уверяю вас, не выйдет. Пустое дело. Нельзя так нагло перечить Божьей воле. Разрушение миров и создание более совершенных, нового неба и новой земли, неизбежны, и это происходит повсеместно. Это так же неизбежно, как смерть человека. Только таким образом обеспечивается духовное становление и миров, и человека. Старая оболочка препятствует этому и потому должна отпасть. Временное не может стать вечным. Дальнейшее вы сами знаете, вы же знакомы с духовной традицией и ее глубинами... Почему вы против? Ведь тайна вечной жизни лежит не в вашем направлении. Да, она связана с жертвой, с отказом от многого, что стоит на пути ее реализации, но так устроена Вселенная, и нелепо бунтовать, да еще так по-детски. Ваш Антихрист, по большому счету, метафизически глуп. Спаситель – Христос, а не он.

– Сейчас люди не знают и не понимают Христа, только называют его имя.

– Это их проблема.

Норинг почему-то побагровел.

– Но в мире осталось много великих тайн, и если их раскрыть, ситуация будет выглядеть иначе, может быть, в нашу пользу.

– Не надейтесь. Да, в Новом Завете сказано, что Христос говорил то, что мир не мог вместить, хотя, значит, попытка была. Наверно, о том, чего мир бы однозначно не вместил, он молчал... Но неужели вы думаете, что эти тайны касаются таких ничтожных явлений, как Антихрист или дьявол? Бог-творец, а тем более Бог в Самом Себе настолько немыслимо бесконечен и бездонен, настолько превосходит всякое человеческое воображение, что так называемые сатанинские глубины, которые упомянуты в Новом Завете, – просто младенческие пузырьки по сравнению с теми глубинами, о которых и говорить-то невозможно... Я не хочу, Альфред, так уж оскорблять князя мира сего, но поймите меня, все-таки...

И Румов насмешливо развел руками.

– Попались бы вы ему, – мрачно ответил Норинг. – Действительно, метафизически страшен Бог, а не дьявол.

– Не то слово. Здесь все человеческие слова исчезают.

– Вы хотите меня напугать – не выйдет. Бог не палач и не людоед.

– Согласен с этой блестящей мыслью. Но вы опять употребляете по Его поводу человеческие слова... Это негоже... Нельзя так хамить метафизически. О том, что невыразимо, надо молчать.

Норинг внезапно встал и начал ходить по комнате около стола.

– Вы меня не убедили, – сказал он. – Временное и вечное – одно и то же. И физическое тело... О-го-го... Это еще такой бунт, такой взрыв... И потому я привлеку на Западе обычных людей...

– Смотря каких «обычных». Сейчас под давлением этой цивилизации, – ответил Румов, – развелись такие «обычные», что им ни Христос, ни Антихрист не нужны... Таких раньше в истории не было. Им на все наплевать, кроме своего быта, так называемого благополучия, жратвы и т.д. Такие неинтересны даже банальному черту, ну, может быть, только как хворост... Это просто амебы.

– Я не имею в виду таких, – Норинг довольно пристально посмотрел на Румова. – Петр, а почему вы мне не задаете вопрос, почему я, адепт Антихриста, пусть сначала для вас тайный, взял и подружился, так сказать, с вами? Неужели вы думаете, что я настолько глуп, что верил в ваше обращение к Антихристу? Тогда почему же?

Румов отпал.

– Не знаю, – сказал он.

– Потому что вы русский, – Альфред заходил по комнате. – Россия не только загадочная страна. Если не случится что-то непредвиденное, то России предстоит великое будущее, прежде всего в духовной сфере. Это известно и понятно. Запад – убежище мертвых, величайшая страна духа, Индия, да и весь Восток сделали уже свое великое дело. Теперь слово за Россией. Нам необходимо познать Россию.

– Ах, вот оно что, – Румов тоже встал. – Лучше не надо. С нас и так хватит исторических приключений в XX веке.

– Ничего, ничего, – подбодрил его Норинг. – Все выдержите. А нам надо понять, кто вы... Так вот, я через неделю вылетаю в Москву. Виза есть. Если честно, могли бы вы меня познакомить с какими-нибудь интересными людьми? Я все равно и без вас смогу выйти на них. Не с бизнесменами же мне знакомиться. Что с них взять, кроме денег...

– Не говорите так. У нас и среди бизнесменов, и среди бомжей найдутся в той или иной степени интересные люди.

Румов неприлично посмотрел в лицо Норингу.

– Но ведь мы теперь, так сказать, враги, – сказал он. – Впрочем, еще неизвестно – может быть, наоборот, мы вас переубедим...

Норинг захохотал.

– Вы все-таки наглый тип, Румов.

На этом они и расстались.

...Румов приехал домой совершенно разбитый. Он честно признался себе, что такого он не ожидал. Альфред в чем-то загадочен казался, но не в таком плане, в конце концов. «Только Антихриста на мою голову не хватало», – вздыхал Румов. В душе он чувствовал, что со стороны Альфреда это не игра, это серьезно. Но был ли он действительно посланником или просто думал, верил, что он таков, Румов не мог определить...

Дома его ждала с ужином сестра. Она сразу заметила, что брат ее не в себе. Румов, разумеется, поведал ей все. Таисия ахнула и от восторга чуть не упала со стула.

– Что здесь веселого? – спросил ее Петр.

– А как же не веселиться? – рассмеялась Таисия. – Все идет, как предсказано. Человечки и не знают, что в каком-то смысле они предопределены. Вот тебе, бабушка, и свобода воли. Один парадокс за другим.

– Я тоже так думаю, – проговорил Румов. – Ты ведь мое второе «я». Но я все-таки помрачнел. Согласись, неприятно.

– Брось. Еще не то будет. А в нашей России, по большому счету, у него ничего не выйдет. Оплюют, осмеют, не потому что Антихрист, а просто так, от души. И скажут еще, что никакой он не адепт Антихриста, а просто дурак дураком. Американка.

За ужином Таисия, в свою очередь, рассказала брату о своих уже сложившихся взглядах на современную западную литературу.

– Как ни странно, во второй половине XX века у американцев нашлось что-то живое. Тот же Чарльз Буковски и некоторые другие. В Европе последнее время же все сухо, мертво, псевдоинтеллектуально. Все социально или сексуально. Если берутся за метафизику, философское погружение, то хоть святых выноси. Все перевернуто и искажено. Ненависть к духу так и сквозит. А эти Нобелевские премии последнее время только политкорректным графоманам стали выдавать. Вообще, веет скукой. По сравнению с первой половиной XX века – какая-то пугающе стремительная деградация, да еще в такой определяющей среде, как литература.

– Ну, знаешь, все-таки что-то остается, как раз именно в Европе, великую культуру не так легко профанировать.

– И в конце концов, – вздохнул Румов. – Народы, люди не виноваты, они жертвы.

– Не нам судить. Но я-то думаю, что и эти архитекторы – такие же жертвы. Они могут, конечно, воображать, что они эдакие адепты контртрадиции, мистические пауки, а на самом деле сами попались в ловушку, может быть, еще худшую, чем несведущие...

– Черт с ними, – заметил Румов. – Так уж все устроено... Кали-юга... Но нельзя смеяться, хохотать даже, над Вселенной. Себе дороже. Обидится. Такое только наш Жур, причудливая тварь, как он себя называет, может себе позволить...

– А где он сейчас?

– В Париже.

– Нашел, над чем смеяться. Но без юмора не проживешь тут. Философского юмора, я бы сказала.

...Через три дня им уже надо было собираться в Москву. Альфред не звонил, пропал. Настало время прощаться с Америкой.

Самолет взлетел над вечерним, в огнях, Нью-Йорком, и его небоскребы оказались внизу, как маленькие коробочки... Полет проходил тихо, спокойно. Когда показалось питание, Таисия решила:

– Давай по коньячку. И полбокала красного.

Румов с радостью согласился.

Решили начать с коньяка, и Таисия, вздохнув, сказала:

– Выпьем за нашу маму, за ее родную утробу, из которой мы с тобой вдвоем вышли...

И потом она тут же посмотрела вниз, через окно, на землю, но никакой земли внизу не было. Одно небо.

– Страшно, – сказала она. – Если падать. Небо, но не то. Не то небо, в котором хотелось бы быть.

...Благополучно они сели на русскую землю.

Глава 4

Москва. Не совсем понятное здание около Садового кольца. Возможно, бывший институт.

Альфред Норинг сидит за столом в небольшой, но довольно вместительной аудитории, рядом – низенький человечек, некто Эдгар Ступин, его верный помощник, с которым Альфред познакомился еще во время своей первой поездки в Россию.

В аудитории понемногу скапливается народ.

– Надеюсь, Эдгар, что вы напустили сюда разных людей, даже случайных, чуть ли не с улицы. Цель моего выступления проста – узнать, как реагируют люди, – шепнул Норинг этому Эдгару. Эдгар как-то вдруг взбодрился:

– Естественно, я же понял все с самого начала. Здесь будет разный люд, но все же в основном интеллигенция. Эти, по-моему, не вместят.

Наконец сбор закончился. Норинг встал, глаза его помутнели, но от решимости. Он говорил просто и не употребляя слова «Антихрист», но касаясь его сути. Начал он не с кризиса XX и XXI веков, очевидного самого по себе, а с агонии.

– Сейчас этот мир агонизирует, – говорил он, словно его прорвало. – Но, спрашивается, когда он не агонизировал?

Такое слегка ошеломило слушателей, видимо, многие до сих пор грезили о золотом веке, не в будущем, так в прошлом. Только какой-то мрачноватый человек в дальнем углу громко брякнул:

– Такого времени не было. Я историк.

С ним подавленно согласились.

– Агония человека, – сумрачно, но громко проговорил Альфред, – может продолжаться два-три дня, агония человечества – тысячелетиями. Эта агония будет длиться очень долго, с истерическими проблесками надежды или с тупой успокоенностью временами сытого желудка. Но когда-нибудь она закончится, возможно, скоро; срок неизвестен... И тогда придет жуткая, нечеловеческая расплата... Но вернемся к агонии. Она будет длиться и длиться, потому что, во-первых, никому не удастся победить смерть. Физическую смерть. Никакой этой идиотской науке. Во-вторых, зло в человеке непобедимо так же, как непобедима смерть. Человек никогда не сможет стать добрым, неагрессивным существом – не по отношению к близким, двум-трем человекам, а в принципе, по отношению к другим. Тот, который сильный, будет искать господства в явной или скрытой форме. В-третьих, редко кто сможет достигать духовного просветления, духовной жизни вообще. В большинстве человеку свойственна тупость и стремление к животной жизни и развлечениям. Понятно, что ситуация наша отнюдь не божественна, скорее наоборот.

Потом Норинг пустился в описание всяких угроз, преследующих род человеческий. Коснулся как прошлых, так и будущих и лихо задел при этом неведомую загробную жизнь с ее малодоступными человеческому разуму опасностями.

– Вы спросите, конечно, чем все это кончится?! – развивал он свою истерию, впрочем, с совершенно холодным, отчужденным выражением лица. – Ответ в духовной мировой традиции давно дан: практически все традиционные религии говорят однозначно, что будет конец этому срезу реальности, этому миру, и начало нового цикла, нового, совершенно другого человечества. Христианская традиция говорит, что все это произойдет после Страшного суда. Все бы ничего, кто против обновления Вселенной, тем более это касается всего лишь физического, нашего мира, в смысле его уничтожения. Туда, как говорится, и дорога. И, конечно, есть все основания верить вышечеловеческому источнику, лежащему в основе традиционных религий. Но во всей этой прекрасной и верной картине будущего есть один неприятный нюанс: на Страшном суде спасутся немногие, а остальных ждет, мягко говоря, ужас...

И тут Альфред внезапно и с какой-то мрачной утробностью захохотал во весь живот. Публика замерла, только в одном углу раздался ответный, даже сладострастный хохот.

Хохот Альфреда и молчание масс продолжались некоторое время, какое никто не считал. Хохот кончился так же внезапно, как и начался. Альфред опять обрел достойно-человеческие черты.

– Господа! – обратился он к публике. – Вы простите мне этот порыв безумного хохота. Это был не демонический хохот, а хохот глубокого сострадания по отношению к несчастному роду человеческому... Я чувствую, вы сейчас закричите: «Где же выход?» Почему большинство людей, особенно в современном гнусном мире, обречены? Да, мы грешны, но грешны все, а потом – мы же созданы Богом, а не каким-нибудь идиотом, так почему мы так страдаем и будем страдать, видимо, гораздо больше в неведомом и трагически неизвестном мире? Вам не жаль себя?! (Раздались вскрики, в одном ряду даже женский стон.) Даже самые мерзкие из нас обладают бытием, существованием, а это ведь от Бога, и не должны страдать! Не кажется ли вам, что здесь лежит какая-то великая тайна, иначе сам Бог, творец мира, выглядел бы в наших глазах как людоед, поглощающий данное им же самим человеческое существование! Но есть спасение, есть правда. В Откровении сказано, что перед вторым пришествием на землю должен прийти человек. И вот этот оклеветанный человек и есть наш спаситель. Он придет!

Норинг заметил, что несколько человек встали и отправились на выход. Но он продолжал с удвоенной яростью:

– Да, да, этот человек принесет спасение не только неким особенным людям, а всем, всем, всем! Чистым и мерзким, великим и ничтожным! Всем, всем, всем! Вот в чем величие его миссии, в отличие от религиозных основателей прошлого!

В зале началось явное и странное шевеление. Послышались возгласы: «Антихрист! Враг!» Норинг наступал:

– Вы спросите, как он это сделает? Это тайна. Но, по некоторым источникам, известно, что ему будет вручен секрет физического бессмертия. Смерть, этот главный и жуткий враг рода человеческого, будет побеждена навсегда. Мы будем, если захотим, вечно жить на этой земле в нашем родном теле, которое мы так любим и обожаем. Плоть есть слово – запомните! Мы будем наслаждаться этой реальной, такой близкой нам жизнью. Воскреснем не для жизни где-то там, при новом небе и новой земле, а здесь, в нашем сладостном и бесконечном земном мире. Но запомните: дух тоже есть слово. Наш спаситель не враждебен духу! Наоборот! Он только своей сверхъестественной могучей силой сделает так, что дух будет служить нам на этой земле, а не где-то там, в надзвездных мирах. Зачем пускаться в неведомое, грозящее неведомым? Духовность будет течь великой рекой здесь, на родной земле. Тело и дух будут в одной связке. Поэтому на земле наконец установятся мир и великое процветание. Все будет преображено великой волей...

– Антихриста! – надрывно выкрикнул кто-то из толпы.

– Великой волей нашего спасителя, – твердо и уверенно перебил этот крик Норинг.

Еще несколько человек с возмущением покинули зал. Воцарилась тишина, не безумная, но какая-то мрачновато-деловая.

– Где гарантии? – слева поднялся мужичок, довольно неопределенный, и повторил:

– Все прекрасно, но где гарантия того, что будет так, как вы говорите?

Альфред спокойно ответил:

– Гарантия в Откровении. Христос обещал Страшный суд, конец этого мира и наказание грешников, победу духа над смертью. Антихрист, по смыслу самого этого слова, как противопоставление Христу, обещает обратное, противоположное: продолжение жизни на земле, спасение всех, никаких наказаний, победу плоти, земной плоти над смертью. Или вы верите Откровению, или нет...

Мужичок примолк.

– Я закончил, – заключил Альфред. – Пожалуйста, задавайте вопросы.

Встал явно интеллигентный молодой человек, но какого-то странного вида:

– Вы нарисовали такую радужную картину, господин адепт Антихриста, что просто душа радуется. Но я лично человек подпольный, даже в большей степени, чем герой Достоевского. Когда я слышу слово «счастье», мне хочется плеваться. Да еще счастье во плоти – тут уж хоть святых выноси... Знаем мы эту плоть... И вообще, я против всего. Я только за то, что непостижимо уму. А вы тут просто свиное корыто приукрасили и больше ничего. Конечно, это лучше, чем «Макдоналдс», но извините... Я сейчас блевать буду. И не думайте, у нас людей такого мировоззрения, как у меня, много...

И молодой человек вышел.

Альфред растерялся. Может быть, впервые. Он привык обсуждать теологические вопросы, а не крик души.

– Ну, знаете, это субъективно, странно и, главное, ненаучно, – только и пробормотал он.

Стараясь как-то сгладить сюрреальный скандал, он обратился к девушке, сидящей в первом ряду, надеясь, что раз она девушка, то как-то смягчит ситуацию.

– А что вы думаете о моем выступлении? – спросил он у нее.

Девушка не изволила даже встать, а с места довольно громко ответила:

– Я по своим убеждениям солипсистка. О каком мире вы говорите? Весь мир в моем сознании. Кроме меня, ничего не существует в полном смысле этого слова. Ваше так называемое выступление просто бессмысленно и неактуально для меня.

Альфред даже побагровел:

– Зачем же вы сюда пришли?

– Это вас не касается, господин призрак.

Норинг неожиданно испугался. Испугало его больше всего то, что именно личность женского пола, созданная рожать детей, имеет такой взгляд на вещи.

Он взглянул на аудиторию и с ужасом подумал, что вдруг здесь все солипсисты. Но его ужас прервал доброжелательный возглас пожилого человека в помятом пиджаке:

– Товарищ... как вас там... Антихрист... Вы не переживайте! Она, видно сразу, девушка хорошая, русская, умная, только сейчас некоторые девушки у нас хамят ни с того ни с сего, это бывает. А насчет вашего выступления скажу прямо: я его поддерживаю. Вы, говоря честно, стоите на позиции коммунизма, пусть с религиозным оттенком. А я как бывший член коммунистической партии всей душой с вами!

Кто-то из женщин хихикнул в ответ. Но Норинг уже оправился от шока и заявил:

– Что ж, в вашей позиции есть здравое зерно. Только коммунизм как доктрина утопичен, ибо для того чтобы его осуществить, нужны сверхъестественные силы. И наш спаситель – именно тот, кто может даже коммунизм превратить в реальность.

Тогда из заднего ряда раздался совсем замогильный голос:

– Да ваш этот хрустальный дворец вечной земной жизни черти в один миг разнесут. Поверьте мне. С ними не поспоришь! Никакой Антихрист не поможет.

И тут посыпался целый каскад истеричных возгласов и мнений:

– Да вы все перевернули вверх тормашками, на сто восемьдесят градусов! Исказили все! У вас дух служит плоти, а не плоть духу, как в традиции!

– Недаром так много людей ушло! Не выдержали!

– Ушли, потому что идиоты. Человек к нам приехал, старался, так поговорите с ним по душам, объясните его ошибки. Но, может быть, он в чем-то прав!

– Прекратите шум и бабий визг!

Наконец удалось успокоиться. Альфред заявил:

– Давайте подведем итоги.

В ответ послышалось:

– Какие итоги?! Мы же не поймем толком, не знаем, кто вы, от добра или зла?!

За Норинга кто-то вступился:

– Да он же хочет, чтоб всем жилось славно, широко, без смерти, здесь, на привольной земле – что ж тут плохого?! А, мужики?!

– Знаем мы! Нам еще не того обещали! И каков результат?!

Снова взошло молчание. И вдруг хриплый голос с задних рядов прервал тишину:

– А я знаю, как проверить! Укусить его надо! Ежели мрачно пахнет, значит, свой, а если сладко – то паразит, эксплуататор, мозги туманит.

Альфред невольно попятился. Но Эдгар оставался невозмутим. Встал еще один, со средних рядов:

– Господин лектор, вы не обижайтесь. Здесь все люди добрые, морду вам не набьют. Вот даже церковные люди, и те не стали шуметь, а просто ушли... И лично мое мнение такое: сейчас главный лозунг мира сего – «Вперед, в преисподнюю!» Но Рассея наша изменит направление этого лозунга в другую сторону, а в какую – одному Богу известно. Все равно Россию умом не понять. И вам я, г-н лектор, по душе и искренне советую: выбросьте свой ум на помойку. Тогда вы, может быть, хоть кое-что поймете в России...

– Благодарю за совет, – угрюмо ответил Норинг. – Может быть, он мне пригодится.

В ответ раздались аплодисменты, явно в его адрес. Альфред тупо-иронично откланялся. На этом первое его выступление в России закончилось.

Глава 5

Тем временем и Петр, и Таисия приходили в себя после поездки в столь дальние края. Но уже дня через два вошли в обычный ритм. На четвертый день Таисия позвонила брату и сообщила, что у нее с Володей все решено: они расписываются, становятся мужем и женой.

– Ну наконец-то, – облегченно ответил Румов.

– Володя уехал в срочную командировку в Питер, и потом сразу отметим...

– А у меня новость: в Москве объявился наш незабываемый Антихрист. Уже выступал.

– Да ты что?! Ты сегодня днем свободен? Давай встретимся.

– В ресторане на Пречистенке. В том самом. На крыше. В три часа дня.

В Москве стоял исступленно солнечный, великолепный осенний день. У столика на краю крыши, за надежной перегородкой они и встретились, брат и сестра. В солнечном облике был виден храм Христа Спасителя, и где-то вдали, за домами, виднелись золотые купола кремлевских церквей.

– Раз Кремль стоит, значит, время невластно, – произнесла Таисия, когда они садились за столик.

Румов вздохнул и сначала одобрил ее решение относительно брачного союза с Володей. Потом заказал красное вино и то, что полагается к нему. И затем описал выступление Альфреда, точнее, сюрреальный слух о нем.

– Потом мне звонил сам Норинг и жаловался, что многие не верят, что он адепт и предшественник Антихриста. Мол, поговаривают, что он самозванец и даже жулик.

Таисия рассмеялась.

– Давай выпьем за то, что он жулик, а не предтеча Антихриста...

Они чокнулись.

– Я ему говорю, – продолжал Румов, – что вы же никогда ни с кого не берете денег за свои речи. А он ответил: «Именно поэтому некоторые считают, что я не просто жулик, а опасный жулик».

– Да, он действительно опасен. Хотя время, конечно, не то, – тихо сказала Таисия. – Без шуток. Дело даже не в идеях. В нем чувствуется какая-то скрытая, затаенно-таинственная мощная сила. Она, может быть, и не имеет отношения к его идеям... Я видела его всего один раз, но этого достаточно... Кто он?

– Да, такая сила в нем есть.

И на этом они закончили разговор о Норинге.

...Потом пришло молчание. И вдруг они одновременно взглянули на небо, как будто бы по направлению к солнцу, в бездонное небо, но не совсем в то видимое небо, а в то, которое сокрыто. Как будто там, в этом сокрытом, невидимом небе таится их источник, их небесная утроба, из которой вышли их души, сближенные навсегда в мистическом, далеком от всего человеческого единстве.

Они все поняли и переглянулись. Это воспоминание, видимо, не могло продолжаться здесь долго, тем более одновременно. Но его ясность была очевидна на всю жизнь. Они знали, предчувствовали это, тем более что подобное возникало и раньше. Но сейчас его явление было слишком пронзительным, хотя и молниеносным. «Мы два существа в одном. И мы объединены одной таинственной, непостижимой пока реальностью», – мелькнуло в сознании Таисии.

...Вдруг зазвонил мобильник. Румов с отвращением взял его в руки. Прозвучал голос...

– Это Зернов, – сказал Петр. – Он хочет встретиться сейчас.

Воспоминание ушло, но внутренне осталось.

– Пусть приедет сюда через час. А час мы побудем вдвоем, – ответила Таисия. – Все равно ничто нас не разъединит. Ни Зернов, ни боги...

...Зернов Михаил Дмитриевич был ближайшим другом Румова, старше его всего на четыре года. Зернов был ученый, физик, но главным, что захватило его жизнь, оказалось христианское богословие, особенно исихазм. Его книга по исихазму считалась наилучшей для нашего времени. Он был женат, и жена его, Зоя, родила ему двух дочек.

Зернов, чуть-чуть толстоватый по комплекции, но уверенный в себе, явился через 1 час 10 минут. Он вообще отличался точностью и обязательностью.

– Что думают брат и сестра об Антихристе? – таким возгласом приветствовал он Петра и Таисию.

– Ты уже в курсе его бредового выступления? – улыбнулся Румов.

– Конечно. Но ты же мне намекнул о нем по телефону из Нью-Йорка. Потому я и здесь. К сожалению, у меня, как всегда, мало времени, но все же расскажи, что это за тип.

И Зернов уселся рядом с Румовым.

– Что будем пить?

– Рюмку водки, не более. Меня ждет ученый совет. Опиши его. У меня минут сорок, не больше.

И Румов описал. Таисия хлестко поддакивала ему. Под конец описания Румов добавил:

– Он очень хочет встретиться с тобой. Сам он весьма информирован, порой прямо деловой такой и, конечно, знает о тебе, читал...

– Ну, и Бог с ним. Надо договориться. Я не против.

– Хорошо. Я позвоню тебе, – согласился Румов.

– Его кто-нибудь приглашал к нам или сам приехал?

– Пригласили. Московское общество смертологов. Он же смертолог, в конце концов, а не кто-нибудь.

– Ах, вот как! Мне что-то кажется, что этого адепта антихристовой идеологии можно переубедить в лучшую сторону, – усмехнулся Зернов. – Он же человек, а не черт в человеческом облике, типа знаменитого черного козла.

Таисия рассмеялась.

– А ведь бывает! Говорят, есть исследование, на итальянском, правда, где известные миру исторические личности описываются как реинкарнация черта.

– Умрем и все узреем, – хохотнул Зернов. – А какое впечатление о Штатах?

– Там все ясно. Одна профессорша с нашей кафедры, где я был, уехала отдыхать. В это время неожиданно умирает ее сын, ей шлют это известие. Она ответила: на похороны приехать не могу, почему, мол, я должна прерывать свой оплаченный отдых?

– Прекрасненько, – заметил Зернов. – Но я слышал, что и дети не очень любезничают с родителями. Дай бог одна открытка в год, на Рождество, и то со стандартным текстом.

Румов предложил тост за всех смертных, а потом заключил:

– В Штатах – как всегда. Единственно главное – деньги и успех. А успех понимается как деньги. Сама по себе любая профессия ничего не значит, она значит в зависимости от того, сколько она приносит денег.

– Ужас в том, что это хлынуло к нам, – вставила Таисия.

– Да, но у нас же это все по-другому, вы сами, Таисия, знаете, – ответил Зернов. – У них порядок, наверху которого зияет золотой телец. У нас деньги вошли в жизнь и в сознание, но вместе с хаосом. Что бы нам ни подкинули, все у нас превращается в черт-те что, в сюр. У молодежи в голове дикий хаос, где еще сохранилось что-то прежнее, родное, вместе с какими-то другими непонятными импульсами, истерическими порывами, а не одни только деньги в душе... Я же имею дело с молодежью...

– Что же там от прежнего, родного?! – спросил Румов.

– Что-то духовное, вечно необходимое живет во многих. Родители, к примеру. И что радует – наша Россия, земля. А ведь против этого главным образом шла война начиная с 90-х годов. И все-таки, несмотря на хаос, это чувство не задушили. Ничего у этих западных интеллектуалов не получилось. Не на тех нарвались.

– Надо выпить за это. Чтобы у них никогда не получилось, – спохватилась Таисия.

За это дружно выпили.

– Что удивительно, – продолжала Таисия, – так это их пугающая ненависть ко всему, что на них не похоже. От людей до политики. Но ведь они же прагматики! При чем здесь эта их дебильная, страшная ненависть? Кстати, к нам это имеет прямое отношение. Я, конечно, говорю не о народе; эти, где находится Россия или Франция, и то не знают. Я имею в виду политический истэблишмент. Они не могут понять, как могут существовать люди, не похожие на них, на американцев. Даже история часто интерпретируется так, что ни глазам, ни ушам не верится; мол, древние греки или римляне страдали галлюцинациями, отсюда их вера в богов, а на самом деле, если исключить галлюцинации, это были простые ребята, такие же, как и мы, американцы...

– Ну, не все же так, – возразил Зернов. – Бред не может быть тотальным...

– Может. К этому все идет, – защитил сестру Румов. – Для них и Данте, и Гете – ковбои, по существу.

– Ладно. Мне нужно бежать. С вами я и на ученый совет опоздаю, – спохватился Зернов и быстро собрался.

...Таисия и Петр опять остались одни, и их речь потекла по другому руслу. Даже молчание приносило радость. Философский инцест был на уровне.

Глава 6

Румов быстро нашел Норинга и договорился с Зерновым. Зернов принял их в Институте философии, в своем уединенном кабинете. Румов предупредил Зернова, что он не будет особо встревать в их беседу, Норинг ему уже порядком надоел, потому что он не может понять, что за тип и откуда этот мнимый предшественник Антихриста взялся.

Был уже вечер, закат глядел в окно. Познакомились. Со стороны Зернова даже любезно. Может быть, Антихрист, но все-таки гость.

Беседа началась с каких-то неопределенных замечаний о родителях, о неудобстве в самолетах, но вскоре Норинг энергично перешел к делу. Он начал с того, что хотел бы поговорить о будущей исторической роли Антихриста «с таким теологически образованным человеком, как вы, Михаил Дмитриевич». Зернов кивнул головой. Но потом беседа приобрела крутой характер. В голосе Норинга звучала уверенность и даже наглость. В целом он обрисовал ту же картину его убеждений, какую он изобразил на своих предыдущих лекциях. Но выразил свое учение в понятиях, более соответствующих уровню своего нового собеседника. Упор он сделал в основном на двух, как он выразился, реалиях.

Первое, что его учение вытекает из его духовного опыта, который предшествовал его рождению в этом мире. У него есть основания так утверждать, но, естественно, ввиду такого необычного характера его опыта он не может, не имеет права говорить конкретно, что с ним происходило до того, как его душа вошла в человеческое тело.

На это Зернов холодно ответил, что он не сомневается в честности такого заявления Альфреда в том смысле, что такой духовный опыт действительно был. Но такого рода опыт бывает разный, и не обязательно, что субъект этого опыта правильно его понимает и тем более имеет действительные знания об источнике этого опыта.

На это Альфред резко возразил, что он прекрасно знает источник этого опыта. Этот источник – сам Антихрист, который ждет своего часа. Зернов пожал плечами.

– Ну что же, блажен, кто верует, – насмешливо заключил он.

Второй «опорный пункт» состоял в том, что любые трансцендентные, запредельные идеи и понятия, выраженные в таких религиях, как христианство или ислам, или в такой глубинной метафизике, какой является Веданта или даосизм, – губительны, глобально вредны человеческому роду, ибо они уводят человека в сферу, по существу, закрытую и недоступную для него, хотя возможны исключения, касаемые очень немногих людей. И то неизвестно, чем такие путешествия в запредельное для них кончатся. Христианство в своих высших проявлениях, например, как тот же исихазм или другие формы, – слишком высокая планка для человека. Не нужно заниматься самообманом. Человек – не то существо, каким бы его хотел видеть Христос. Что же делать с миллиардами людей, которые не способны реализовать даже самые простые нравственные требования, о которых говорят традиционные религии, особенно христианство?

– Единственный выход – приход Антихриста, – Норинг вдруг покраснел и стал говорить с яростью, чуть ли не пена выступила на губах, словно он говорил перед какой-то невидимой аудиторией невидимого мира. – Он вырвет Землю, нашу планету, из кандалов мировой закономерности, изолирует ее от вторжения как демонов, так и высших сил, даст людям свободу и необычайно длительную, по их желанию, жизнь, преобразит землю в земной рай и для тела, и для духа, ибо он даст людям и духовную жизнь, но такую, какую они смогут вместить и которая не уводила бы их в заоблачные высоты, что бессмысленно. Тайны материи, управления телом будут до конца раскрыты, и человечество будет вечно славить своего спасителя...

– Вы закончили? – неожиданно спросил Зернов.

– Да, пожалуй, – ответил Норинг.

– Тогда разрешите мне. Это действительно красивый и заманчивый проект. Потенциально многие люди втайне мечтают именно о таком будущем, если они еще не разучились мечтать. Более того, если такой проект и средства его реализации будут действительно предложены человеческому роду, то даже многие избранные соблазнятся. Это ведь вам не Макдоналдс или теория научного коммунизма. Главное, чтобы было наглядно продемонстрировано, что такой проект возможно осуществить. Осуществить такое могут только сверхъестественные силы, именно Антихрист. По крайней мере, так может показаться.

– Вы говорите все верно... Так и будет, – прервал Норинг.

– Как будет – другой вопрос. Во всяком случае, я не уверен, что Антихрист предложит именно такой проект. Это вы так считаете. А он может предложить что-нибудь более изысканное, даже извращенное, ведь вы не знаете, какое будет человечество к моменту прихода Антихриста. Что такое человечество будет желать и от чего будет стремиться избавиться.

– Да может быть, – не удержался Румов, – человечество к тому времени будет единственно мечтать о коллективном самоубийстве, до того вся земля будет испоганена....

Альфред оторопел от злости и пробормотал:

– А вы всегда с каким-нибудь вывертом...

– Это нормально, – ответил Зернов. – Здесь не академическая лекция. Так вот, дорогой последователь Антихриста или скорее своей мечты об Антихристе. Выслушайте, что я хочу сказать вам по существу дела. Вы еще относительно молоды, и я вам советую: выбросьте свое богоборчество из головы. Я не исключаю, что по определенным причинам Господь может даже допускать богоборчество как некий метод самого богопознания. Но это особые случаи, и это не ваш случай. Вы не эзотерик. Вы, по сути, простой человек, вроде американского ковбоя. Антихрист не Бог весть что, но он не такой... Хотя в вашей теории, несомненно, есть антихристово зерно. Этого нельзя отрицать.

– Спасибо за сочувствие, – невозмутимо ответил Норинг. – Но вы все бранитесь, а по делу ничего не сказали.

– Наберитесь терпения, – вмешался Румов. Зернов удивился.

– Неужели, Альфред (он вдруг назвал его по имени), вы сами не догадываетесь, что я скажу? Не разочаровывайте меня...

– Своей иронией вы меня не собьете, – ответил Норинг. – Я знаю, как тупо современные люди встречают смерть. Это страшнее, чем если бы они страдали.

– Согласен. И что?

– А то, что Антихрист может избавить их именно от физической смерти, от ухода в неведомое и непонятное для них.

– Опять вы, как все богоборцы, впадаете в детские утопии. Физическая смерть рано или поздно неизбежна. В конце концов, сама эта планета обречена, по большому счету; именно ее физический аспект. Нельзя идти против миропорядка, установленного Богом, нужно только понять, что такое Бог, реализовать его природу, его духовное присутствие в самом человеке, и это действительно сделает человека свободным и бессмертным, в другом облике, где будет новое небо и новая земля.

– Вы опять за свое, – резко прервал Норинг. – Спрашивается, кто это может осуществить? И что остается миллиардам других? Идти в преисподнюю или в рассеяние по беспощадной Вселенной? Что вы молчите?

– А теперь пришло время ответить, – сказал Румов.

– Да, – и Зернов произнес:

– Вы, Альфред, просто не понимаете или не хотите понимать, кто есть Христос. Он был изначально, еще до своего воплощения на земле, Богочеловек, то есть сочетавший в себе и Бога, божественный дух, и человеческую сущность.

– Кто же этого не знает, – тихо возразил Норинг.

– Да, его планка, его уровень очень высок по определению. Но в принципе человек во Христе может стать Богочеловеком, следовать внутреннему самосознанию Христа, потому что сам человек создан по образу и подобию Божьему, т.е. ему доступно стать сыном Божьим во Христе, открыть в себе божественную природу. Вы скажете, это для немногих... Ну, смотря какое время взять... Конечно, необходимо преображение, но ведь Святой Дух с нами. Это возможно... Хорошо. Как же остальные? Но ведь Христос принес себя в жертву за всех, а не только ради людей духа. В конце концов, простое исполнение заповеди Христа о любви к Богу и к ближнему приведет человека после смерти в Царство Божие, в рай. Конечно, это состояние не означает достижения нетварного Света, это спасение в пределах тварного мира. Но это спасение. И оно доступно потенциально всем людям, без исключений. Другое дело, что поскольку Бог дал человеку свободу, человек по духовному невежеству или по злой воле может выбрать для себя то, что он возлюбил, то есть зло. Таков человек, таков мир. Но не Христос обрекает его, а он сам. Христос хочет только светоносной победы человека над смертью, его соединения со Святым Духом, который вечен. О каком отрицании человека Богом можно говорить, если Бог свою собственную природу вместил в человека? Что большего он может дать, чем Себя Самого? Но уже дело человека – раскрыть это сокровище в самом себе или хотя бы следовать простой заповеди Христовой о любви. И если вы будете любить человека, вы не будете делать ему зла. Ошибка Антихриста будет заключаться в том, что он противопоставит человека Богу, сознательно или считая, что он, наоборот, спасает человека, примиряя его с Богом, но на каком-то низком уровне. Метафизически Антихрист просто глупец.

– Но более человечен, – как-то пронзительно возразил Альфред.

– Смотря какая человечность, – усмехнулся Румов.

– Не только. Мы тоже признаем духовное начало, это естественно, но мы ограничиваем его опасные претензии, так сказать, на бесконечность, какую-то божественность, бездонность. Мы против невозможного, мы за бездонность возможную, в рамках, – спокойно парировал Норинг.

Румову показалось, что и сам Норинг, сидящий на стуле в этом кабинете, сидит, точно зверь в клетке, которую он сам создал для себя. Взошло молчание. Румов встал, прошелся по комнате, улыбнулся Зернову и медленно среди этой тишины проговорил:

– Альфред, этим вы отрицаете те высшие духовные вертикали в человеке, о которых ясно сказано в Откровении... Поздравляю... Более того, в христианском Откровении есть слова о тайнах, которые мир не смог вместить. В иных традиционных религиях фактически есть то же самое. В самых глубинных метафизических воззрениях Востока всегда существует понимание того, что далеко не все открыто для человека, остается место для глубочайших и великих тайн... И вот эту тайну и Бездну, с которой человечество тоже может соприкоснуться, например, в далеких космологических циклах, в других манвантарах и теперь, в нашем цикле, перед падением мира сего, вот эту божественную тайну и Бездну вы тоже отрицаете...

– Ну и что?! – выпучил глаза Альфред. – Хватит с нас...

– Скажу больше. Русскому человеку будет трудно смириться с вашим Антихристом. Кроме вертикали, сближающей человека с Богом, у нас есть какой-то уровень сознания, духа, который даже трудно определить. Таинственный, не подчиненный ничему, некий, может быть, прорыв или, точнее, еле заметный, почти неуловимый выход в нечто неизвестное, но великое... Отсюда русское стремление к беспредельности... И все это ваш Антихрист ненавидит. Он закрывает пространство тайны и свободы. Но это пространство должно быть, ибо, если все открыто, это в каком-то смысле конец.

Норинг угрюмо молчал. Зернов тем не менее мягко, не без какой-то внутренней доброты заключил:

– Откажитесь от своей доктрины, господин Норинг. Человеку не по пути с Антихристом, каким бы он ни был... А если не сможете отказаться, не приезжайте к нам, оставьте нас...

Альфред помрачнел и не говорил больше ни слова. Непонятно было, что творится в его душе.

Молчание не могло продолжаться бесконечно, и на этом встреча закончилась.

Глава 7

Потекли немного странные, не без тайных впечатлений дни. Во всяком случае, так ощущали себя и Румов, и Таисия. В конце концов, даже более спокойно-уверенный Зернов. Впечатления менялись с быстротой мысли. Где-то на Ближнем Востоке бомбят, где-то протестуют, и, казалось, над всем миром царит не то ад, не то человеческая агрессивность и глупость. Но зато компенсировалось более близкими, острыми, родными прозрениями, чувствами, впечатлениями. Вот Румов и Таисия среди друзей, и вечер, проведенный с ними, создавал ауру, прямым образом обозначал, что в мире нет никакого зла.

– Как это возможно, такое ощущение?! – восхищалась Таисия.

И ей отвечали, что в маленькой группе, где люди не только духовно более или менее едины, но и живут в какой-то доброте и даже нежности друг к другу, такое вполне возможно. Как будто одна семья собралась.

– А ведь это фактически старая русская традиция, – заметил Зернов.

Но были и некие таинственные, внезапно возникающие вспышки какой-то реальности, на момент вторгающейся в наш мир. Иногда Румов узнавал, точнее, чувствовал нечто подобное в лицах людей на улице, в метро. Кроме того, после разлуки с Россией и Таисия, и Петр еще острее восприняли звуки русской речи, тончайшие интонации, уводящие в какую-то внутреннюю бездну. Румову казалось, что это особенно отчетливо проявлялось у женщин, у некоторых из них... Доносились до него и слухи об активности Альфреда, довольно разорванной. То выступление в академической среде, то в тот же день вечером по линии общества смертологов. И речь становилась все более обтекаемой, более зашифрованной, порой даже до комизма. Реакция у слушателей, эдаких, по лихим мыслям Альфреда, кандидатов в царство Антихриста, была тоже неопределенна, но значительна.

– Что-то тут не то, – говорили одни.

– Не то, но важное, непростое «не то», – возражали другие.

Одним словом, Норинг нащупывал Россию, но как-то истерично, то туда, то сюда; бывало и по два-три выступления за день.

...Утром в квартире Румова раздался звонок, такой обычный и такой тревожный. Ибо кто знает, что несет с собой ветер повседневности... Говорил Норинг – каким-то испорченно-надтреснутым голосом.

– Петр, приходите. Я выступаю перед группой каких-то крайних, не то анархистов, не то блаженных. Я ваш народ не пойму.

– Зачем вам такие?

– Хочу понять русское подсознание. В таких людях оно становится явным.

– А как они себя называют?

– «Сами». Они объявили, что они «Сами».

– О, слышал. Я, правда, слышал, что о них говорят, будто там одна клиника, безумные.

– Нет. Внешне – да. Но на самом деле...

– На самом деле – посмотрим. Встреча – завтра.

И он дал адрес и время.

...Румов решил присоединить к поездке сестру и Зернова. Зернов по некоторым высшим причинам отказался. Встреча назначалась в одном довольно заброшенном литературном молодежном клубе, в одном из уголков старой Москвы, в Замоскворечье. Помещение оказалось маленьким, но заброшенным клуб был не в смысле посещаемости и интереса к нему, а по той анархичности, которая в нем царила. Впрочем, находилась там и комнатка-уголок, где можно было попить чаю или кофе. В нем и приютились Петр и Таисия в ожидании прихода «Самих», в которых бедный последователь Антихриста искал русское подсознание.

– Слово-то какое – «подсознание». Типично омерзительное, – сказала Таисия, обращаясь к брату и попивая чаек. – Прямо из фрейдистской преисподней...

– Конечно. Но для подлинной преисподней Фрейд все же мелковат...

Так тихонько разговаривали они. В другом углу, но прямо перед их глазами виделся, но особо не шумел телевизор с его очередной программой. И вдруг на экране возникла молодая женщина, приятная блондинка, и стала петь. Слова разносились такие:

Жить, жить, жить,
Быть, быть, быть!

И она напевала, повторяя эти слова с какой-то утробной настойчивостью, охватившей все ее тело и сознание... Так продолжалось минут пять, пожалуй, во всяком случае, так показалось Таисии и Румову. Они переглянулись.

– Если это наше подсознание – я за. Точнее, наоборот, внутреннее осознание и воля, – сказала Таисия.

– Молодец, девочка, – похвалил Румов выступавшую. – Так держать. Zазвездные полеты полетами, но чтобы летать, надо быть, и быть всегда, – заключил он.

– Хоть бы она жила лет сто, – пробормотала Таисия.

– А потом – в вечности.

– В вечности она будет другая; та ли? – вдруг с грустью заметила Таисия.

Румов сразу понял намек, и потому у него слегка дрогнуло сердце.

– Но преемственность, как известно, может сохраниться, – тихо ответил он. – Для этого нужен ряд условий. Душа должна быть не только высокой, но чтобы то, что свершалось ею здесь, нуждалось в развитии там...

– Неужели ты думаешь, что в нас этого нет?

– Не думаю. Но надеюсь. Но главное, чтобы раскрытие наших с тобой душ шло, пусть с разными оттенками, но в одном метафизическом направлении. Тогда мы будем вместе...

Румов заметил, что в глазах Таисии мелькнули слезы. Мелькнули и ушли вглубь. Румов промолчал несколько секунд и потом резко сказал:

– Да, да, да... Тася, послушай... Ты же знаешь, что наши души соединены в одно мистическое целое... Какая разница, в каком мире и где мы будем находиться, раз мы соединены такой мощной силой? Ведь мы не только физически брат и сестра. Это мистическая связь, ты моя мистическая сестра, прямо по герметизму... Такое случается в жизни редко, но случается. Нам нечего бояться разлуки, она невозможна.

– Фактически – нет, но практически – да, нужно. Боязнь создает напряжение.

– Напряжение всегда есть, пока мы люди.

– А та девушка, что хочет быть, – промолвила Таисия, – и в другой жизни сохранит принцип русской души...

...В двери показалась фигура Норинга. Он приветствовал, если так можно выразиться, Таисию и Петра. Видимо, «Сами» уже собрались. Румов и Таисия прошли в небольшую комнатку, где их шумновато встретили. «Румов пришел», – пискнул кто-то из угла. В основном была молодежь, рассевшаяся на нестойких стульях. Норинг на этот раз был краток, но говорил чуть ли не как поэт, влюбленный в грядущее царство Антихриста. Ибо, как известно, и избранные соблазнятся. Правда, говорил он достаточно туманно, но все же ясно для тех, кто хотел бы понять суть его речей.

– Вопросы? Мнения? – громко спросил он под конец. В ответ сразу потянулись руки.

Первым встал довольно взлохмаченный юноша:

– Скажу прямо: ваша речь мне как-то не по душе. Может, я что-то не понял. Я лучше скажу о себе. Я Господа Бога жалею. Мне Бога жалко. От всей души.

– Ну, это уже законченное сумасшествие, – процедил про себя Норинг. – Пора вызывать скорую психиатрическую помощь...

– Вы поймите меня правильно, – продолжал юноша. – Я не сумасшедший (в комнате захихикали). Я институт оканчиваю. У меня просто в душе чувство такое – я Бога, конечно, люблю, но в основном жалею. Жалею, и все. А объяснить не могу. Вы вот все объясняете, объясняете, почему да отчего какой-то иной спаситель придет и почему он нужен. Да плевать я хотел на все объяснения. Я Бога жалею.

В комнате опять захихикали. Норинг весь покраснел от злости. Петр и Таисия заливались смехом внутри себя. Тут же встал другой юноша, постарше.

– Я Валерия знаю несколько лет. Он верный друг. И никогда не был сумасшедшим. А жалеть Бога можно, это не преступление. У нас свобода.

— Может быть, кто-то еще хочет высказаться? — холодно сказал Норинг.

Из первого ряда поднялся высокий молодой человек.

— Простите, господин преподаватель, — произнес он, — но вы какой-то неюморной. Это ваш главный недостаток. Что вы все учите и учите? Этот мир — просто псевдореальность и больше ничего. Сон какой-то, то кошмарный, то смех смехом. Чего тут спасителю делать? Чего этот бред, называемый миром, всерьез принимать? Когда-нибудь проснемся здесь или скорее на том свете, и этот мир исчезнет, как мираж. Только и делов-то. А вы все учите, учите...

Норинг ответил, но так нудно и скучно, что, дескать, с одной стороны, мир — действительно полумираж на каком-то уровне, с другой стороны — самая подлинная и естественная реальность. «Сами» стали шуметь. Раздались отчетливые возгласы:

— Да что вы нам какие-то азы рассказываете! Мы не дураки. Повеселей что-нибудь надо, повеселей!

— А этот ваш спаситель на Антихриста похож, прости Господи!

— Надо подойти к нему, к этому профессору, — проголосил кто-то из угла, — и понюхать. Если смердит — значит, человек, если не пахнет — значит, черт.

Последнее уже совсем вывело Норинга из себя. Но потом он собрался и спросил:

– А вон там, в углу, все время тянут руку...

Но «там» какая-то озорная девушка лет 19 выкрикнула:

– А вы к нам на танцы приходите! Не такое поймете!

«Сами» почти все расхохотались и одобрили милую девушку. Это приглашение на танцы и завершило выступление.

– Где ему нас понять, – процедила выходящая последней девушка в очках. – Никакие танцы не помогут.

Румов и Таисия ни во что не вмешались, и их молчание тоже ввело Норинга в недоумение.

– С меня хватит! – сказал он им на прощание.

Со вздохами Таисия и Петр направились к выходу.

На улице было пусто. Замоскворечье тонуло в тайном воздухе своей прежней светоносной России. А Румов и Таисия, бредущие по улицам Москвы, тоже, по существу, были тайной.

На следующий день Норинг покинул Россию.

Эпилог

По поводу истории с людоедством массмедиа торжествовали по всей Западной Европе. Портреты Липпа сияли со всех газет. Он настаивал на полной законности его действий, подчеркивал добрую волю Фридриха Зерца на предмет поедания его самого. Эдди, с пеной у рта стоя перед телевизионной камерой, оправдывался, что даже самая темная сторона процесса – драка между ним и клиентом – ничуть не нарушает общего контекста.

– Мой друг Фридрих, – вещал он, – бил меня именно потому, что я, с его точки зрения, слишком неумело выполнял свои обязанности. Даже когда обвинение подчеркивает, что господин Зерц был якобы в какой-то момент в невменяемом состоянии, то все это только подтверждает мою версию, так как даже в предположительно невменяемом состоянии он все время выкрикивал: «Жрите меня смелее, скорее пожирайте меня!» И добавлю, что мой друг и в состоянии здравого смысла твердил то же самое. Он заботливо подбадривал меня...

И его внимательно слушали. Юридически власти растерялись. Все было сделано на добровольных началах. Но наконец нашли какую-то расплывчатую статью о помощи в деле добровольного самоубийства. Оказывается, помогать в таких случаях не полагалось (о принуждении к самоубийству не могло быть и речи). Господина Липпа посадили на три года. Но мировая слава его росла, даже превосходя славу какого-нибудь знаменитого футболиста или боксера. Его книга, которую он написал за полтора месяца (называлась она «Мой опыт»), стала бестселлером; миллионные тиражи, переводы стали для него нормой. По его книге собирался снимать кинокартину крупный американский режиссер.

Несколько портили ему нервы газетчики. Они интересовались причинами такой неординарной акции. О чем тут только ни писали. Одни ссылались на психоанализ, одолевали г-на Липпа вопросами, не было ли у него желания изнасиловать собственного отца или, наоборот, не посягал ли папаша на него самого, что бывает гораздо чаще. В «акции» поедания Фридриха видели сублимацию ненависти к отцу, а в действиях Фридриха прозревали извращенный нарциссизм. Другие журналисты, памятуя, что сейчас кризис, считали, что это пожирание – своего рода социальный протест против власти прожорливых банкиров. Третьи писали, что Фридрих просто искал адекватный способ ухода из этого проклятого навеки мира... Всего лишь одна газета, и то очень робко, ссылалась на тотальное разрушение христианских ценностей в современном мире. На нее тут же яростно обрушились несколько газет, называя такие высказывания мракобесием, грубым проявлением крайнего консерватизма и даже обскурантизма, призывом к возвращению в Средневековье. «Автору надо напомнить, – хором писалось в этих газетах, – что, согласно декларации Объединенной Европы, христианство вычеркнуто из числа тех ценностей, которые лежат в основе европейской цивилизации». С другой стороны, американские газеты возмущались, что в письменном договоре о поедании отсутствовала коммерческая сторона. Спонтанная выдача чека господину Липпу объявлялась просто жестом, а не серьезной коммерцией. Тем более Липп благородно вернул эти деньги супруге господина Зерца. Но на самом деле это господин Зерц обязан был выплатить г-ну Липпу серьезный гонорар плюс страховку. Поскольку такое не было оговорено, в этом американские газеты увидели фантастическое, почти преступное неуважение к деньгам и принципам свободного рынка вообще. Поэтому приговор (три года общего тюремного заключения) они посчитали несоразмерно мягким, мягкотелым до крайности.

Но находились и такие, и их оказалось немало, которые бурно и грозно протестовали против заключения Липпа, считая, что его надо беспрекословно освободить. Состоялась даже демонстрация молодежи у стен тюрьмы. Лозунги висели такие: «Свободу запретить нельзя!», «Мы, молодежь, будущее Европы, за полную свободу самовыражения!», «Эдди, мы с тобой!», «Да здравствует свобода!», «Эдди Липп – не преступник, а герой», «Немедленно освободить нашего героя!». Случались даже эксцессы. Но мир позабыл все-таки о бедном Фридрихе; его слава мерцала некоей бледной звездой по сравнению с признанием Липпа.

Липп же стал подлинной звездой. Даже девушки просились в его камеру. В своей книге «Мой опыт» Эдди оказался до дотошности точным; диалоги с Фридрихом, драку – все описал. Солидная литературная критика высоко оценила книгу. Один литератор сравнил «Мой опыт» с произведениями Шекспира: дескать, драматизм и много крови. Намекали на Нобелевскую премию, но тут основной вопрос заключался в политкорректности. Да или нет – в этом смысле? Но все же и у звезды таилась теневая сторона. Проблема заключалась в том, что ни в газетах, ни в солидных научных журналах по антропологии не выяснили окончательно и твердо, в чем причина «акции» поедания. Одни туманные предположения. Считалось, что ключ должен содержаться в ответах господина Липпа на этот вопрос, прямых или косвенных, и в интерпретации этих ответов. Но на все эти вопросы, тонкие или прямые, Липп отвечал однозначно и уверенно, что никаких причин для совершения этой «акции» ни у него, ни у Фридриха не было. Просто совершили, поели, и все. «Ну, например, – пояснил в одном интервью Эдди. – Представьте, идет человек по улице, видит кафе. Он не проголодался, но может взять и зайти просто так и посидеть, скушать чего-нибудь. Но можно и не заходить... Одним словом, – продолжал Эдди, любуясь собой и в тюремной камере, – все эти яйцеголовые интеллектуалы ищут чего-то, выдумывают, усложняют, а мы с Фридрихом просто решили поесть. Могли и не решить. Никаких причин для акции поедания не было, – твердил господин Липп. – Я честный, порядочный человек, а не какой-то сумасшедший и потому всем отвечаю: никакой причины не было».

Это ошеломляло журналистов, ученых и особенно поклонников происхождения человека от обезьяны. Какая-то таинственность была в этой беспричинности. Ведь если причин нет, то и мир этот со всеми его тяжелыми последствиями короткой жизни, коммерцией и своего рода идеями может как-то ловко и беспричинно исчезнуть раз и навсегда, без следа. В самый разгар полемики. Лопнул пузырь, и все. Это и приходило в голову некоторым особенно чутким...

Фридриха, полузабытого в пылу липпизма (ибо впоследствии появился такой новый термин), все-таки довольно пышно и трубно похоронили. В эти дни лил бесконечный, сумрачный атлантический дождик. Словно сама вода постепенно становилась враждебной миру. «Не надо было казнить миллионы ведьм», – подумал один старичок, застрявший в кафе за чашечкой чая. А на экранах кинотеатров западного мира засверкала физиономия г-на Липпа. Кто-то объявил его мессией, кто-то – психопатом и пошляком...

...Дело Альфреда не затихало. Неутомимый предшественник Антихриста возникал то в одной точке земного шара, то в другой, но в России уже никак не появлялся. Если где-то его одергивали, ссылался на свободу слова, если где-то ему аплодировали, говорил ближайшему своему окружению, что его не понимают и даже приводят его слова к противоположному смыслу. Но иногда негодовал. Где-то в Латинской Америке на одном из собраний выступил молодой человек, который заявил, что он читал один потаенный древний текст, где говорится, что перед приходом Христа и концом мира власть над миром получит самый глупый человек, который когда-либо существовал на земле. Самый глупый, разумеется, в метафизическом смысле, то есть идиот в духовном отношении. Он будет владеть некоторыми тайными знаниями, но они ничто по сравнению с его глупостью в глубинном, метафизическом смысле, в понимании замысла Божьего о человеке.

Альфред был возмущен. Но речь вызвала раздражение и у одного из слушателей, который возразил, что какой же Антихрист супротивник Господу Богу, если он так глуп. Альфред же, естественно, упирал на то, что будущий Антихрист вовсе не супротивник Богу; по существу, он не Антихрист, а Антехрист, т.е. пришедший перед Христом. Такая наглость вызвала, однако, немедленный отпор...

Случалась и совершенно неожиданная реакция. После одной из лекций встала весьма почтенная дама и, попросив слова, заявила, указывая на Альфреда, что этот господин позорит имя Антихриста. Альфред чуть не бросился на нее с кулаками, но сдержался...

В одном из богословских журналов появилась заметка о каком-то проходимце, обещающем человечеству рай на земле. В заметке, между прочим, говорилось, что идея бесконечного существования человечества в физическом мире абсурдна и нелепа, так как человечество как великая духовная иерархия должно войти в иные вселенские измерения, в иную землю, в иные миры за пределами этой тюрьмы, в которой оно сейчас находится... На заметку эту, однако, никто не обратил особого внимания.

У Альфреда тем не менее появились потаенные группы последователей... В течение целого года Альфред возникал то там, то здесь, прокатываясь эдаким кубарем по всему земному шару. И вдруг внезапно исчез.

А в далекой от посланника Антихриста Москве протекала иная, странная, хаотичная, словно разделенная на разные уровни (от бандитов до мистиков и созерцателей) жизнь. У Румова и его сестры потекла их повседневная жизнь с бесконечными заботами и отделенной от всяких забот внутренней жизнью. Но весьма скоро, Румов и не ожидал этого, вдруг ему позвонил сам Га, выставка картин которого успешно продолжалась в Москве. Голос Га звучал по-детски дружелюбно:

– Петр, приглашаю вас и вашу очаровательную подругу... сестру, кажется, с которой вы последний раз приходили ко мне в Нью-Йорке. Забыл, как ее зовут.

– Таисия.

– Да, да... Только вас двоих... Никаких лишних знакомств. Завтра в семь вечера. Можете?

– Думаю, смогу.

– Я закажу столик на троих... Где бы вы хотели?

– Есть такой ресторан – «Евгений Онегин», в центре Москвы.

– Как же, знаю. Я один раз там был, потому что вспомнил поэму... Пушкина? Да?

– Да... Мы будем рады такой неожиданной встрече.

– Ничего неожиданного. Такие люди, как вы, не забываются. Но учтите, я могу немного запоздать, вопреки тому, что я западный человек...

На следующий день Румов и Таисия пришли в ресторан «Евгений Онегин» чуть даже пораньше и уселись у окошечка за заказанный столик. По дороге, в метро, в шуме и гаме, и здесь, за уютным столиком, Румова пронизывала та необъяснимая, таинственная внутренняя нежность по отношению к сестре, которой он не испытывал ни к кому, ни к одному человеку, никогда. Эта нежность была настолько потаенная и в то же время проявлена в душе, что выражалась, пожалуй, только взглядом, но этот взгляд охватывал Таисию до глубины души, и она отвечала таким же взглядом. И сейчас, за столиком, в молчании, они настолько погрузились во внутреннее созерцание друг друга, что забыли, зачем сюда пришли. Такое духовное погружение друг в друга, соединение душ до бездны, без слов, часто непроизвольно, случалось у них не раз. Это было настолько таинственно, что становилось страшно, как будто они уже ушли из этого мира и их души, слившись непостижимым образом, неслись вместе над провалами иной, бесконечной вселенной с ее миллиардами немыслимых существ... Но тайна слияния была настолько велика, что для них не существовало ни всех вселенных, вместе взятых, ни этих существ...

И вот они абсолютно молча сидели друг против друга за столиком по земному времени уже минут 10–15. Более всего ими владело то, что в глубине их душ таится нечто тайно-родное, некое непостижимое начало, которое на самом деле и соединяло их души в единое целое. Но что это было за «тайно-родное» (они так называли «это», когда общались словами), что оно представляло собой метафизически, они не могли осознать и тем более понять. Они чувствовали, что это выше возможностей человека, хотя в то же время они были совершенно уверены, что человек – это сверхъестественное существо.

Наконец, после такого созерцания Таисия тихо вымолвила:

– Здорово! Наш духовный инцест продолжается... Главное, сохранить все в бесконечности, хоть после миллионов смертей и рождений вновь...

Румов улыбнулся.

– Ты сама знаешь, что у нас есть только один путь: избежать этих миллионов смертей и рождений и вместе войти в вечную жизнь, где нет власти времени... При всем неизбежном преобразовании сознания надо сохранить преемственность и то тайно-родное; пусть оно будет вечно-родное... Мы должны заранее готовиться к этому.

Таисия кивнула головой.

– Успеем... Мы еще молоды... Важно, что сейчас, сейчас нас охватывает такое блаженство, такое неземное счастье, как будто все законы этого мира уже отпали от нас... Мы уже сейчас бываем там... Такая любовь убивает все земное, будь оно неладно.

– Ну, это слишком... Не надо... Зачем? Пусть оно нам просто не мешает.

Подошел официант.

– Вы ждете кого-то?

– Мы ждем господина Га.

– Понятно. Хотите заказать что-то?

– Ничего.

И господин Га явился. Возвращаться к «неладной» жизни было тяжело, но они взяли себя в руки. Кстати, Га на самом деле по паспорту назывался Аллен Рутберг, а Га был в некоем роде пугающий псевдоним. Увидев Румова и Таисию, Га почему-то расхохотался. И полез даже целоваться. Уселись уже втроем, заказали вино, салаты, рыбу, десерт и обязательно чай. На лице Га сияла слегка доброжелательная улыбка.

– Я за все плачу, не возражайте. Я негодяй и мошенник и получаю миллионы ни за что, как и полагается в этой цивилизации... Петр, Таисия, я рад вас видеть в вашей великой стране!

Дальше – больше. Разговор закрутился так, как будто встретились старые друзья.

– На вашу выставку народ валом валит, – отметил Румов.

– Петр, не принижайте свой народ, вы же его любите... По моим сведеньям, с моей выставки многие уходят, не побывав там и 10 минут... Я восхищен интуицией ваших людей... Выпьем за тех, кто ушел, – радостно провозгласил Рутберг.

– Как же так? – Таисия развела руками. – Что за мазохистское самолюбование? Аллен, подумайте о себе...

Га расхохотался.

– Милая Таисия, спешу вас обрадовать... Я все же не считаю себя последним мерзавцем духа... Втайне я рисую нечто настоящее и новое... Всего несколько картин... Но не приходит в голову их показывать, за исключением двух-трех друзей.

– Почему? Вы их не выставляете?

– Никакая галерея их не возьмет, ибо они подрывают основы бизнеса и великого шарлатанства...

– Можно посмотреть?

– Вам – да. Приезжайте в Нью-Йорк в гости ко мне.

– Ничего себе – подполье в так называемом свободном мире, – проговорил Румов.

– На это мало кто способен у нас, – вздохнул Га. – Система ценностей, которая в головах, не позволяет. Я нашел на одном кладбище, на могильной плите, такую надпись: «Деньги решают все». Ха-ха! Ну, и имя героя, конечно.

– Вы нас пугаете своим смехом, – ответила Таисия и сама не удержалась от смеха.

– Только не говори: «Несчастные люди, несчастное человечество», – вмешался Румов. – Не наше это дело.

– Совершенно справедливо, – отметил Рутберг. – Эта цивилизация с ее ценностями рухнет сама собой, и, наверное, скоро... А нам не стоит мешать работе Господа Бога, у него и так ад ничтожных душ переполнен. Лучше вспомним Альфреда. Я с ним встречался недавно, после того как он вернулся из России.

– Надо бы выпить за это, – спохватился Румов. – Не за него, а за то, что он уехал от нас.

– Отлично. Он мне сказал, что в такую сумасшедшую страну, как Россия, он никогда не вернется.

И Румов, и Таисия с философическим удовольствием выпили за это. Рутбергу же было все равно.

– Мы с ним активно побеседовали, – продолжал он. – Он сразу начал с главного, посмотрел мои картины – мы встретились в моей мастерской, – ахнул и тут же, видимо, под тяжелым влиянием моих картин, начал: «Ничего, ничего... Какой ужас, какое падение... Но скоро придет Антихрист, спаситель мира сего, и все перевернет как надо». Так прямо и выпалил, не стесняясь моей пусть скромной, но веры: «Антихрист».

– Он такой... Свою правду стал в глаза бросать, – усмехнулся Румов, а внутренне отметил, что Таисия еще там, в их тайне, и потому довольно рассеянна.

– Я постараюсь в лицах изобразить этот комфортабельный разговор, который я имел честь вести с этим посланником Антихриста.

– Мнимым, – шепнула Таисия.

– Да это сам черт не разберет, как у вас говорят, – поспешил заметить Га. – Так вот, сидим друг против друга за столом; по стенам мои картины... Он взглянет – вздрогнет, наконец высказался:

– Рано или поздно, но хозяином мира станет он, спаситель, Антихрист. Он займет пустующее место...

Я ему:

– Любезный, да вы со своим хозяином опоздали, у нас давно уже есть свой хозяин, князь мира сего, дьявол, и он своего не отдаст...

Альфред тут прямо-таки со стула соскочил и так возбужденно стал бегать по мастерской, однако ничего не выкрикивал... Бегает и молчит. А я продолжаю:

– Он у нас крепко сидит, уверенно... Наши идиоты, даже которые молятся Богу, живут, наоборот, точно по его законам, точно, как ему надо... Сами, главное, имя сатаны произносят с возмущением, а действуют по его правилам... А те, ученые, скажем, которые вообще ни во что не верят, после смерти ни во что не будут верить и даже не поймут, умерли они или нет... И вообще, что с ними произошло... Потому что ни во что не верят, кроме своей науки... Циклопы, одним словом. Хозяин таких любит. И никакого Антихриста он к власти не допустит... Даже если ваш любимчик поклонится князю мира сего, ничего не получится... Такого не обманете. Он не тот, который делится...

Наконец-то Таисия рассмеялась. «Вошла все-таки, родная моя», – подумал Румов. А Рутберг продолжал:

– Альфред был возмущен до точки... Сначала еле выговорил: «Да как вы могли... Оскорбить спасителя... Это неслыханно, неблагодарно...» «Да я его не оскорбляю, а жалею», – отвечаю я.

Га охотно выпил винца, погрузился в него чуть-чуть и продолжил:

– Петр и Таисия, вы не представляете, как он взвился. Покраснел от гнева, и вдруг лицо его сморщилось, и по нему пробежала ехидная, злонамеренная улыбка. С такой улыбкой в Средние века королям подносили яд, даже в причастии. Он сказал: «Аллен, вы, живя здесь, отлично знаете, до чего дошел человек. Конечно, люди убежали от Бога, как крысы от света. Конечно, хозяином стал дьявол. Но подумайте о чисто современной ситуации. Неужели эти дебилы, погруженные полностью в заработки, в гонку за неживой, изнуряющей, тупой работой, в отдых с идиотским телевидением, и наконец, вершина всего – половой экстаз при входе в магазин, массовые покупки всякого барахла, массовое помешательство при этом. И так всю жизнь. А потом – могильный столб с надписью: «Деньги решают все»... Неужели вы думаете, что эти бессмысленные твари могут заинтересовать такую величину, как дьявол? Да вы смеетесь! Может, он еще заинтересуется тараканами? Извините, но это хула на дьявола. Современное человечество никому не нужно; оно бесхозно... Бесхозно, поймите вы это!» Вот примерно такую речь он выдал, – закончил Га. – Признаюсь, я был ошарашен. Как это я не заметил, что дважды два – четыре... Я смутился, как школьник, и проговорил: «Я извиняюсь перед сатаной, извиняюсь. Действительно, кого может соблазнить власть над такими дебилами, господа они или рабочие, все равно... Гротескный упадок налицо, причем при развитии изощренной технологии... Да они со своей технологией и себя уничтожат, и планету. А уже лет через десять, если живы будут, при таком духовном упадке литературных гениев будут искать в приютах для идиотов и имбецилов, лишь бы речь немного сохранилась... Такие книги станут бестселлерами и на Нобелевскую премию потянут, если, конечно, будут политкорректными...» Альфред тогда расхохотался на мое раскаяние, – рассказал Га.

Румов и Таисия с восхищением слушали его.

– Когда я закончил, Альфред заявил в таком духе: извинение за нелепую хулу на дьявола он принимает, но хочет со своей стороны внести поправку. И он сказал: «Я извиняюсь за предположение о тотальной бесхозности современного человеческого рода... Не исключено, что какой-нибудь бог среднего масштаба, скажем, из античного пантеона, по пьяни может заинтересоваться или уже заинтересовался и принял участие в мировой истории человечества... Все может быть». А завершил Альфред так: «Только Антихрист обладает властью превращать тараканов в человеков, в человеков с большой буквы и, возможно, физически бессмертных». На этом его визит закончился, – вздохнул Га.

– Ну и поиздевались вы вдосталь над бедным современным родом человеческим, – еще глубже вздохнул Румов. – Аллен, смех смехом, но нельзя так односторонне судить... Да, это есть... Но есть и противоположное... Если малейшие живые очаги духа сохранятся, пусть их даже будет мало, тогда современное человечество спасет и себя, и свое будущее.

– В конце концов, победит Богочеловек Христос, который был и есть Богочеловек изначально. Победит богочеловечество, но через страдания, – закончила Таисия. – Но это не так просто, тем более мы, по существу, не знаем до глубины, ни что такое человек, ни что такое Бог. Это тайна, но не самая последняя тайна. О ней, самой последней, не знает никто...

Га сморщился, но ответил:

– Страдания, богочеловечество, последняя тайна – слишком по-русски... Господа, я предлагаю простой тост: за честную земную жизнь!

– И за нас заодно! – расцвела Таисия. – Не так страшен Альфред, как его малюют... Тем более, думаю, он просто самозванец, лихой и наглый, но с зачатками ума Антихриста...

Расстались они с Га, словно друзья его.

Через два дня Га покинул свою выставку и Москву. А через недельку появившийся у Румовых Зернов объявил:

– Петр, тебя ищет некто Лев Никаноров. Он глава некоего небольшого философского сообщества...

Румов не замедлил с ответом. Встретились в ресторане Дома ученых, на бывшей Кропоткинской улице, и никакой случайности не было в том, что быстро признали друг друга, признали сферу общих интересов и до некоторой степени духовное родство.

Лев призвал Румова и его ближайших друзей присоединиться к его свободному сообществу, имя которого было простое – «Друзья философии». Без всяких обязательств, духовных и иных, просто быть другом философии, каким, собственно, Румов и был. Румов согласился. Выпили немного, и беседа пошла даже «за жизнь». Решено было: на следующей неделе, во вторник, в одном из известных московских литературных клубов должна состояться лекция Льва на тему очень конкретную: «Как спасти человеческую... в современном мире», и после этой лекции, уже в узком кругу, и состоится знакомство.

– Тема актуальная, – заметил Лев со смешком, – но, несмотря на нарочито слегка юморное оглашение темы – для привлечения масс, на самом деле разговор будет и серьезный, и в то же время доступный.

Румов улыбнулся:

– Надо было бы еще добавить крепкие эпитеты по поводу современного мира.

– Не будем хаять то, что само себя обхаяло, – ответил Лев. – Петр, я счастлив, что встретился с вами... Ваши друзья – наши друзья...

...Румов пришел на лекцию один, Таисия – с мужем и еще привела с собой трех молодых людей. Народу в этом уютно-литературном клубе, расположенном в деревянном домике в центре Москвы, но в уголке, набралось более чем достаточно.

Марк, выбранный ведущим, объявил тему лекции, и звучала она уже совсем по-другому: «Крах традиционной цивилизации и проблема духовной смерти в современном мире». С очень коротким словом выступила и Галя. Ее затаенно-русская красота и слова о духовной смерти рода человеческого вызвали трепет в зале. Потом уже слово взял Лев; его лекция была рассчитана минут на 50, и говорил он просто, ясно, но стараясь не уходить от самого глубокого смысла и тревоги по поводу развивающейся катастрофы. Но его речь отнюдь не была пессимистичной, в ней шли параллельно мрак и свет. Коснулся разных форм духовной деградации и падения и их последствий в послесмертном состоянии человека. Остановился на огромной спасительной роли русской церкви и православия, не только, конечно, как обряда, но и в самом глубинно-богословском значении, вплоть до исихазма. Коснулся, но слегка, такой эзотерической темы, как метафизическое знание в пределах традиционализма. Не избежал и упоминания о Майстере Экхарте. Но закончил совершенно неожиданными мощными словами о России, за которыми последовали следующие стихи:

Россия будет! Сквозь вечный холод,
Сквозь вой отрицающих Бога в себе,
Сквозь огненно-адский, кошмарный хохот
Она прорвется к своей Глубине.
И все Бездонное станет Россией,
В бездонность войдет ее тайный смысл,
А где-то останутся души глухие
И обреченная мертвая мысль.

Слово Льва о России и ее духовном будущем, без которого ее существование теряло всякий смысл, было встречено внезапной бурей восторга и аплодисментов. Лев даже не ожидал такого страстного порыва, как будто души людей взорвались при упоминании об истинной России, во всей ее духовной глубине и величии. Такой мистический пожар вдохновил почти всех присутствующих. Этот пожар в душе, молниеносно вспыхнув, не мог продолжаться долго, но зато ожила вера в Россию, в ее предназначение...

Вопросов не было, и постепенно стали уходить. Но, как договорились, несколько человек остались, включая Румова, Таисию с мужем, Льва Никанорова с женой, Марка с Галей, Зею, Судорогова и Женю и еще трех молодых людей. Один из них явно симпатизировал круто изменившейся Зее, которая благо навеки рассталась со своим прежним ласковым Витенькой.

Собрались в маленьком, отрешенно-уютном кафе при клубе. Сначала было тихо, но потом содрогнулось. Не сразу. Присутствие Марка, который бродил по тому свету, точнее, по его краю, где он еще соприкасался с миром живых, действовало на знающих об этом угнетенно-жутко и радостно. Создалась аура неведомого, но близкого, рядом стоящего, – вот он, иной мир, для которого мы как тени; остановится сердце, раздавит машина, грянет бомба – секунды, и мы уже там, где другие законы и где уже побывал ставший чуть-чуть таинственным Марк. Его и самого слегка мучила собственная таинственность, тем более там, где он побродил, это даже не начало, а лишь преддверие в бесконечно-огромные, неведомые для «живых» миры.

Но опорой был не только Бог, но и Галя, которую он полюбил всем своим русским сердцем. И все же странно, когда все расселись, Марк еще некоторое время побродил около присутствующих, словно он бродил там, после «смерти», и было неясно ему, то ли окружающие его люди становились тенью, то ли он сам превратился для них в тень. Такие «наплывы», воспоминания о сиянии и мраке потустороннего случались с ним не впервые, но он умел выходить из них. Так произошло и сейчас: «наплыв» ушел, и Марк сразу же присел на стул рядом с Галей. Та посмотрела на него и все поняла. И как только Марк присел, присоединился, все улеглось.

Потекла мирная, в чем-то даже добродушная беседа о том о сем, которую вскоре, однако, взорвал Судорогов. Он предложил какой-то яростный тост за безумное торжество жизни.

– Не за спокойную жизнь пьем, – произнес он, – а за ее взвинченность, вихрь, падения, взлеты, кручения и вой, идущий в небо. За мать-анархию жизни, за ее великий, загадочный хаос! За то, чтобы вечно пить вино жизни и пьянеть разумом от этого, не теряя его, а наоборот!

Но речь эта вызвала радостно-истерическую реакцию, хотя, по сути, каждый понимал буйство жизни по-своему.

– За неуправляемое торжество жизни! – под
держал этот тост один из молодых гостей. И он
закончил словами великого поэта, соотнося эти
стихи с самим собой:

Пускай я умру под забором, как пес,
Пусть жизнь меня в землю втоптала,
Я верю, то Бог меня снегом занес,
То вьюга меня целовала!

Но этот экстрим не нашел тотальной под
держки, несмотря на гений Александра Блока.
Высказывания лились по другому каналу, весьма
победоносному. «Жить, жить, жить, бесконечно,
чтобы энергия жизни поднималась вверх, чтобы
бессмертие объяло души, и жить, быть», – этот
стихийный мотив оказался сильнее всего. Жить
вопреки всему глобальному злу, которое творится в мире. Пусть и в России сейчас по-прежнему
тяжело с наступающими на нее дикими волнами
зла. «Но и такой, моя Россия, ты всех краев дороже мне» – таков был ответ. Настроения, беседы приняли какой-то мистически-жизнеутверж-
дающий оттенок. Но вскоре опять произошел
срыв. Вдруг в этом темно-уютном кафе возникла
фигура Сверхпокойника. Незаметно вошел тот
самый Афанасий, которого с легкой руки испу-
ганной Зеи определили как Сверхпокойника,
подчиняясь магии стихотворения об этом.

Афанасий вошел, огромный, безжизненно-
мрачный, и сказал:

– И мне налейте... Я был на лекции, но меня не заметили.

Его тут же усадили за стол. Гостеприимство распространялось у них даже на мертвецов. Зея заерзала, а Сверхпокойник с каменным выражением лица выпил стакан вина. Все было бы ничего, Галя даже принялась ухаживать за ним, любезно накладывая Афанасию салат. Казалось, все пойдет по умиротворенному руслу, ведь к Афанасию и к его молчанию как-то привыкли. Ну, молчит и молчит; молчание еще не катастрофа. Где-то его уважали. И вдруг Сверхпокойник завыл. Собственно говоря, всем показалось сначала, что он завыл, на самом деле он не завыл, а заговорил, громко и как-то сверхъестественно.

– Порвем все преграды, разделяющие миры! – кричал он. – Чтоб всюду было одно пространство, одно видение, чтоб проходить можно было по всему космосу, видимому и невидимому, как по коридору! Размах должен быть у Афанасия, размах!!!

Все притихли, но кто-то заверещал:

– А золотые огни ада? Это тоже космос! Не очень весело, господа!

Афанасий, лицо которого в какой-то мере стало просветленным, тут же среагировал:

– Ну и что? А без ада как-то скучно! Истинное веселие там!

Кто-то хохотнул. Но Афанасий прикрикнул:

– Да не бойтесь вы! Везде жизнь! Клоп – и тот живет. А мы как развернемся! И дьявол ахнет!

И сразу, без перехода, он запел:

Эх, пить будем,
Гулять будем!
Чертей лихих
Пороть будем!

Женя шепнула Судорогову:

– Да он раньше выпивал и всегда оставался могильным; что с ним сейчас?

– Да он выпил-то полбокала, – шепнул в ответ Судорогов. – От этого не пьянеют. Он пьян от себя.

Сверхпокойник же совсем разошелся:

– Чертей пороть будем! – кричал он. – Плясать с ними будем, на планетках, учить уму-разуму! Да и у них есть чему поучиться! Они ребята ученые! Гулять будем во всю Вселенную! Все переворошим, наплюем, расцелуем! Гуляй, бывшие людишки, гуляй! Всем простору хватит! Это я говорю, Сверхпокойник!

И так же внезапно, как начал, он закончил свою речь, стал каменным и принялся за салат. Галя невозмутимо ухаживала за ним. Марк молчал, проговорив только:

– Все возможно у человека. Невозможно ему лишь то, что он представить себе не может.

Остальные бессвязно галдели, но лучи воздействия этого порыва Сверхпокойника скоро угасли.

– Но почему вы называете его Сверхпокойником? – шепнул Румов Никанорову.

– Да, верно, – прошептала Таисия. – Сверхпокойник – это слишком грандиозно для него.

Лев только пожал плечами.

Постепенно вечер вошел в обычную колею. Немного смутил всех опять тот же Судорогов, который печально предложил:

– Давайте выпьем за постчеловеческую цивилизацию...

И поднял бокал. Но его никто не поддержал.

– Это выражение появилось на Западе, – тихо сказал Румов. – Некоторые считают, что она уже и расцвела.

– Но пить за нее не стоит, – усмехнулся и шепнул в ответ Лев. – Даже Афанасий своим сюрреализмом опровергает ее, ибо лучше безумие, чем идиотизм.

– Ни того, ни другого лучше бы не было на земле, – вздохнула супруга Льва.

...Под конец Афанасий встал, мирно раскланялся и ушел в ночь.

Вечер закончился на душевном подъеме. И опять началась ежедневная жизнь с ее заботами.

Но сдвиги уже произошли. Румов, Зернов, Таисия и несколько их друзей присоединились ко

Льву Никанорову, к его философскому сообщ
ству под названием «Друзья философии». Са
Никаноров, несмотря на свою молодость, уж
блестяще защитил докторскую диссертацию н
тему традиционалистской философии. Защи
тил, несмотря на тихое, но протестное пови
гивание сохранившихся еще полумарксистски
профессоров. Галя же под его руководство
готовила свою кандидатскую. Сообщество и
наполнялось в основном молодежью – разны
взглядов, но объединенной упорным желание
понять мир, человека и Бога, а более всего – гл
бальную судьбу при жизни и после нее, в ит
ге – конечную (или бесконечную) судьбу, есл
можно так выразиться, во всех ее индивидуал
ных вариантах. Этим ребятам и девочкам над
ело жить в цивилизации циклопов и крикливы
«научных» утверждений, что человека ничего н
ждет, кроме вечной могилы, но при жизни з
то – потребление. Никаноровская молодежь х
тела не только верить, но и знать.

В суете дней Судорогов как-то позвонил Гал
и рассказал ей о статейке из Бельгии, котора
касалась всем известного, нашумевшего в м
ру дела о самоубийстве с помощью людоедств
Короче говоря, о человеке, который пожела
чтобы его съели, и его действительно съел ег
доброжелатель.

– Было много идиотских статей по этому п
воду, – с хохотком говорил Судорогов, а Гал

слушала. – Но эта статейка в этом плане гениальная. Этот случай людоедства объясняется сексом. Показывается со всем фрейдистским кретинизмом, что частенько непосредственное людоедство является формой сексуального общения и даже любви, хотя это слово обычно не употребляется из опасения его религиозного, антинаучного смысла.

Галя вздохнула, не очень рассмеялась и откомментировала, что можно написать хороший рассказ об этом бреде.

– А вообще-то говоря, в наши времена бред уже давно стал формой реальности, – заключила она. – Бред как подмена реальности, как ее апофеоз...

– Давно пора, давно, – хихикнул Судорогов, и его голос исчез с мобильника. Галя хотела спросить, а что сейчас с любовником, но решила не перезванивать...

...Серьезную трансформацию за это время претерпела и Зеечка. Она уже стала не той вечно и тупо недоумевающей Зеей, которой была. Но с Витенькой она рассталась ласково. Рассталась, потому что влюбилась в молодого человека из никаноровского сообщества. Звали его Вадим Жарков. Однако роман был не так прост. Зею вообще после ее окончательного пробуждения стало тянуть не только на позитив, но и на истерику, эдакую энергетическую взвинченность, не без достоевщины. Достоевского, кстати, она читала запоем, порой даже в туалете. Потому и произошло все не так просто. Она без околичностей, прямо, довольно эмоционально рассказала Вадиму о ее похождениях у Трофима. Вадим не возражал против ее прошлого, но ему как поэту было нелегко. Стихи его были наполнены иными переживаниями. Более того, Зея умудрилась затащить его к Трофиму. Она позвонила своему первому освободителю от недоумения, как закадычному другу. Сказала, что хочет прийти со своим другом. Трофим вообще ничему не удивлялся и пригласил.

Они пришли; встретили их Трофим и его Анфиса. Погутарили, сели за стол. Трофим, и тот чуть-чуть смущался, но Зея сразу стала выкладывать всю правду-матку об их отношениях. Вадим так любил Зею, что терпел, словно он был князь Мышкин.

Наконец, Зея, повизгивая слегка, вспомнила о словах Анфисы, что Трофим, дескать, настолько сверхъестественно силен как мужчина, что может оживить на время любви мертвую бабу. И что она, дескать, может даже родить некое небывалое, причудливое существо. Родить, а потом уже умереть навсегда. И она в лоб спросила Трофима:

– А как насчет мертвечонка? Мертвечонок, случаем, не появился?

Трофим, однако, сурово ответил:

– Этих мертвечонков сейчас по всему земному шару видимо-невидимо. Только они живые, прыгают, играют, вот в чем вопрос...

Вадим ничего не понял, но, когда возвращались, Зея ему объяснила. Вадим отнесся трезво:

– Да черт с ним. Этот Трофим преувеличивает во всем. Главное, что я тебя люблю.

Зея содрогнулась.

– Частично где-то это была моя проверка. Прости. Тяжко было жить, когда все так странно. Федор Михайлович нас учил не бояться странностей...

И она прижалась к Вадиму. Их союз закреплялся с каждым днем.

Тем временем Никаноров подготавливал целую международную конференцию в Москве на тему «Неизбежность и желательность многополярного мира». У некоторых его друзей были связи на Западе. Привлекли и наших социологов. Какая-то внутренняя необходимость решать, говорить об этом возникла в связи с тем, что в воздухе чувствовалась угроза, приближение чего-то опасного и разрушительного. Это касалось всего мира.

Никаноров, посмеиваясь, говорил Судорогову:

– Я решил хотя бы как-то действовать во имя любви к человечеству. У меня есть такое чувство. Но моя жена не может мне простить эту слабость...

Наступил 2012 год, впереди десятые годы XXI века, и волны из будущего доходили до слуха живущих сейчас. Это было нечто неопределенное, но угрожающее. Это просто чувствовалось, независимо от всяких прогнозов и предсказаний. И все-таки присутствовало нечто осязаемое, очевидная угроза конфликтов, войны, где-то рядом, около южных границ России.

Лев, конечно, не упал с луны, но его всегда раздражала эта постоянная агрессия в человеческой мировой истории, самоуничтожение. Он нередко поговаривал, что если бы не вера и культура, если их вычеркнуть, то история так называемого мирового сообщества походила бы скорее на историю мировых людоедов. Одни колониальные завоевания Американского континента, Африки, Индии чего стоили.

– Но ведь это должно когда-то кончиться, – говорил он. – Нельзя же до бесконечности самоистребляться. Тем более с таким оружием, подарком ученых.

Он верил, скорее мечтал, что в третьем тысячелетии этому будет положен конец. Хотя бы из чувства самосохранения. Тогда, считал он, основные цивилизации этого мира – китайская, индийская, российская, западная, мусульманская – будут как ожерелье на теле человечества. Между ними будет мир и согласие. Пусть сейчас это утопия, но утопии сбываются, когда иного пути нет. А пока – хотя бы нести идею многополярного мира. С этим все были согласны, и поддержка шла с разных сторон, в том числе из-за границы. Идея была такова: мировое господство одной силы несбыточно. История доказывает это. На этом пути крах ждет всех. Ни мягким путем, ни через войну такое осуществить невозможно. И потому надо изложить конкретные причины этого. Далее, путь к миру на земле лежит, конечно, не через мораль, любовь и нравственность по причине их отсутствия в международных отношениях или по причине их лицемерного использования и только. Этот путь к глобальному миру может быть основан на чувстве, инстинкте самосохранения, здравого смысла и общности интересов всего человечества в целом... Разумеется, на этой конференции будут приветствоваться разные точки зрения. Но надо принять тот факт, что нельзя индуса превратить в англичанина или итальянца, и хотя в Индии в основном тот же политический и экономический строй, что в той же Англии или Америке, но тем не менее, например, по сравнению с Америкой, Западом Индия не только другая страна, но другая планета. И никто не может это игнорировать. Но конференции конференциями, а жизнь неудержимо текла вперед и вперед, к неизвестному пока будущему. И все же чувствовался неумолимый гул провидения и то, что должно совершиться, несмотря на свободу воли и метания человека. Свобода не могла порвать таинственную силу предназначения, но в полном смысле ее никто не знал, несмотря на любое визионерство.

В среде Никанорова и Румова спокойствие сочеталось с волнением. «Что с нами будет? От любви к России можно сойти с ума», – говорила Галя. Между тем она быстро сдружилась с Таисией. И заявила, что наконец-то у нее появилась подруга. Жизнь шла своим чередом, вперемежку со вспышками встреч, жарких обсуждений. Галя и Таисия нередко пересекались по разным кафешкам в центре Москвы, чтобы выпить кофе и пообщаться.

– Думаю, будет война, не Третья мировая, но похоже. Без нас, надеюсь, но около нас, – высказалась как-то Таисия, когда они, выбрав промежуток времени, пересеклись в кафе на Пречистенке.

– Нетрудно предвидеть, – усмехнулась Галя. – Но потрясения будут везде и разные, может быть, пугающие, неожиданные, природные, например...

– И как-то что-то коснется России. Посмотри, ведь у нас каждое столетие открывалось великими и не всегда победоносными событиями и поворотами. Начало XVI века, Иван III, образование государства, XVII век, начало, страшное, смутное время, XVIII век – революция Петра Великого, XIX век – войны с Наполеоном, XX век – и говорить нечего, с 14 года...

– Да, но и во всем мире тоже. Начало века должно быть отмечено новизной, – не без черного юмора отметила Галя.

Таисия отхлебнула чуточку винца, точно поддерживая свои силы на будущее.

– Галя, но, по большому счету, в данной ситуации для России это может быть хорошо... Может тряхануть так, что эта глобальная цивилизация голого чистогана, финансового диктата и пищевого отравления рухнет, и это будет хорошо для всех, а для России особенно. Она освободится, будет сама собой, а не черт знает чем. А без потрясений не обойтись, потрясения для этой мировой истории человеков – дело привычное, обыденное даже. Тряханет как следует – и пойдет снова, по другому руслу. Без этого нам не обойтись.

– Да... В России, в самой жизни скопилось сейчас столько зла...

– Естественно. Где Бог, там и дьявол. Он ищет себе достойного противника, потому, несмотря на наше православие и «неутоленную веру», на нас находят всякие такие напасти, – сказала Таисия.

– Ладно, ладно... Но я имею в виду, – возразила Галя, – не только глобальное зло, но и мелкое, человеческое. От него совсем стало тошно. От этой омерзительной уголовщины, от разврата наживой, от этого самоубийственного бреда по телевизору... СМИ только и смакуют ожиревших от тупости и бесконечного воровства уродов и несчастных людей, копошащихся в жалких комнатушках... Когда же это кончится? В этом плане было время тяжелей, но омерзительней не было...

Таисия взволновалась:

– Галя, да не переживай ты так! Мы видим столько прекрасных, чистых людей во всех слоях общества... И среди молодежи, например, вокруг нас. Россия вернется к самой себе.

– Ну, это правда... Ведь Россия – не только в настоящем времени, она всегда была и есть. Я чувствую это. К примеру, Россия XIX века для меня как живая. Это все наше и в нас. Россия вне времени. Толстой, Достоевский, Пушкин и другие – просто живут рядом с нами.

– Ну, уж это есть! – согласилась Таисия. – Влияние русской классики огромно. В советское время она возвращала Россию и веру. И по этой литературе, и по рассказам людей, живших еще до революции, мы знаем, какие необычные, замечательные люди жили в России. «Умом Россию не понять». И частично это сохранилось в советское время. Так говорят, это известно, хотя мы тогда были всего лишь детьми... Но мы знаем, помним, какой сказочной страной была Россия.

О Русь, приснодева,
Поправшая смерть!
Из звездного чрева
Сошла ты на твердь.

Звон колоколов, вера в бессмертие и любовь. И через что мы прошли! Какая звериная, бесконечная агрессия, скрытая и прямая, против нас извне. Точно каким-то силам необходимо нас уничтожить. Как мы еще выжили после всего...

Они вдруг встали и подошли к окну.

– Высоко, – сказала Таисия.

Были видны башни Кремля, храм Христа Спасителя и огромный таинственный город, вместивший в себя все мыслимое и немыслимое. Они чувствовали какое-то тайное биение этого города.

– Вся грязь пройдет, – тихо сказала Таисия. – А все великое, нетленное, начиная от самых древних времен, живет и сейчас, в нас и в пространстве России.

– А мы посетили недавно Константиново, – произнесла Галя. – Была какая-то делегация. Мы вышли на высокий берег реки, и открылось то неописуемое, что описано в стихах Есенина... И представь себе, мы вышли, сразу открылась эта панорама, и у многих мгновенно появились слезы. Это была какая-то магия, высшая магия, которая есть в поэзии Есенина. Мы были как завороженные. В лучшем смысле этого слова. Мы видели свою родину, и она проснулась в нас...

– Да, там действительно происходит это. Там русское сердце восстает из пепла. Москва и Константиново – вот два центра. Стольный град и

Россия. Лишь бы стояла страна. Они затихли и смотрели.

– Никакая постчеловеческая цивилизация нас не сломит. Надо научиться противостоять разрушению изнутри, а агрессии извне. Это труднее, но надо, – опять тихо и спокойно сказала Таисия.

– Конечно... Но я о другом. Россия, по сути своей, настолько огромна, что ее нельзя определить никаким словом. А значит, потому и мы духовно такие, если следовать ей до конца.

– Кто же сейчас смотрит: мы на Россию или она на нас, та, которая и сейчас, и в будущем?

– Одновременно, – ответила Галя.

И с этим ответом они закончили свою встречу.

РАССКАЗЫ

РАССКАЗЫ

На этом свете

Коля Голиков был человек полусвободной профессии. Это всегда его радовало. Но сейчас настал пик его богемной жизни. Картинки его неплохо продавались, жену свою он превратил в любовницу. Сыночка отослал к прабабушке. Да и годы Голикова не враждовали с его ощущением жизни: простучало ему всего 30 лет.

Но однажды, выглянув в окно своей квартиры на небоскребную Москву, он решил демонстративно для самого себя выпить в одиночестве. Полез в дорогущий холодильник, тупо выставил оттуда колбасу, налил себе полстакана исключительно шотландского виски и замер на стуле в предвкушении. Но вдруг ужаснулся. Испугался он собственной тени, на которую случайно взглянул.

Тень была до боли не похожа на его собственную, привычную тень. Обалдев, Голиков захохотал, не веря своим глазам.

Тень оказалась непохожей в том смысле, что она вообще ни на что не походила. Так, какое-то несвоевременное чудище без всякой надежды. Что было понятно, так это длинные, как сабли, уши.

Коля же был человек современный. Выругавшись для приличия, он стал бродить взад и вперед, образуя тень, в которую и впивался своим каким-то ненасытным взглядом. Он невзначай подумал, что сошел с ума. Но не поверил. Голова на месте, мозг тоже. К тому же Голиков еще при жизни познакомился с психиатрией – недаром жена работала в сумасшедшем доме.

Отбросив эту суетную мысль о безумии, Голиков сосредоточился на чудище.

«Значит, это – я», – пробормотал он, указав пальцем на тень.

И тогда завыл. Тихонько так, потаенно, чтобы мир не слышал его.

«Куда бы исчезнуть», – подумал он.

Потом осенило. Подбежал к зеркальному шкафу, глянул: увы, все на месте, там, в зеркале, он свой, обычный и в чем-то непревзойденный Коля Голиков, человек. А тень ложилась все та же, нечеловеческая.

Самое время было выпить, но Коля так расстроился, что, забыв обо всем, выбежал на улицу.

Город встретил его шумом, трескотней, потоком машин. Поблуждав некоторое время среди лихо-озабоченных людей, он ринулся, звякнув по мобильнику, к своему формально лучшему другу Мише Зябликову, портретисту. Он жил рядом.

Зябликов встретил его призрачной улыбкой. Квартира эта была его мастерская. Голиков сел на стул перед портретом немыслимого какого-то человечка и заплакал.

Миша до того не ожидал такого, что уронил кисть и полез за водкой, ни о чем не спрашивая. Голиков почти рыдал, и только когда Миша осторожно спросил: «Коль, что случилось, в конце концов? Кто-нибудь помер?» – Голикову стало стыдно, и он уцепился за мысль о смерти. Не говорить же о том, что случилось с его тенью.

Он, еле соображая, пробормотал:

– Да, Миша... Помер тут один... Ты его не знаешь.

Зябликов удивился:

– Да я, Коля, всех знаю. И твоих друзей в том числе. Не темни, пожалуйста.

– Да ты его не знаешь... Витя Мельников, друг детства.

– Да как же не знаю, – возмутился Зябликов. – Витю Мельникова каждая собака знает...

Голиков ошалел, взглянул на портрет немыслимого человека и еще больше ошалел.

«Взгляды мои какие-то нечистые стали», – надрывно подумал Голиков.

Зябликов между тем набирал номер Мельникова, сам не зная почему. Очень его расстроили рыдания Голикова, что-то он в них почувство-вал нехорошее, почти загробное.

Коля же совсем растерялся и тупо смотрел на немыслимого человека.

– Витя, это ты? – услышал Голиков слова Миши.

Ответ, видимо, состоял из матерных слов, поскольку Зябликов запыхтел и отключил мобилу.

– Он жив, – улыбнулся Миша.

– Это не тот Мельников. Мой – умер, – тихонечко ответил Голиков.

– Ох, Коля, Коля, – вздохнул Зябликов. – Не морочь мне голову. Сейчас даже о друзьях не рыдают, как ты рыдал... Ладно... Не хочешь говорить – не надо... Давай помолчим или выпьем.

– Прости меня, Миша, – робко сказал Голиков и подсел к водке. – Я теперь стал жилец с того света.

Зябликов задумался и разлил водку. Но Коля уже искал глазами свою тень.

Тень никак не давалась в руки. Голиков даже пошарил вокруг, как будто его тень стала существом. И, чтобы найти ее, невозникающую, он вышел на кухню. И завизжал, увидев ее. Тень выросла, особенно разметались уши, словно они превратились в неведомые крылья. К тому же он почувствовал, что тень растет на его глазах, громаднеет, ползет под потолок. Вид сверхъестественный. Потом вышел Зябликов со стаканом водки в руке. И выронил его, разинув рот.

Сначала Зябликов хотел убежать, но вместо этого замер. Коля, вдвойне перепугавшись, ни с того ни с сего бухнулся перед ним на колени и умолял не уходить, а что-нибудь посоветовать.

Миша осторожно снял его с колен и чуть не заплакал.

– Вот в чем дело. Я, Коля, тебя жалею. Ты только не пугай меня. Ты кто на самом деле?

Голиков заорал:

– Водки!.. Водки!..

Одни эти слова подействовали на Зябликова успокаивающе. Он вытащил Голикова из кухни, как все равно больного, и они разом оба, похожие на покойников, выпили залпом все, что было.

Голиков, очумленный, сел в кресло и хриплым голосом рассказал своему Мишеньке, который как-то сразу стал его закадычным другом, все.

Под конец Зябликов встал в позу Аристотеля и изрек:

– Коля, ты только с этим к ученым не ходи. Замордуют. И к экстрасенсам тоже – ни-ни. И вообще помалкивай. Ученые примут тебя за психопата, духовные – за беса.

– Что же делать?

– Да живи, как живется, Коля... Как можешь... Только научись свою тень скрывать... Знаешь, я растерялся, а иной еще прибьет тебя...

– Как скрывать?!!

– Научись...

– Да я больше боюсь, что она меня съест... Вберет в себя... Проглотит... Я сам тенью стану... А она – живым существом! – истерично проговорил Голиков.

– Ладно... Ты мне дурдом не устраивай...

Но Зябликов все-таки осторожно покосился – тени не было.

Расстались друзья почему-то холодно.

Для Голикова началась новая жизнь. Тень свою от людей он прятал. Если появлялась, отскакивал, шарахался, убегал в угол какой-нибудь, где тень не падала. Картинки его, между прочим, стали продаваться еще лучше. Голикову показалось, что в этом ему подмогнула тень. Такая ситуация напугала его, и деньги за картины он старался быстрее потратить или отдать друзьям – от беды подальше.

Тень уже не росла, а становилась как-то субстанциональней и живей. Даже чуть-чуть самостоятельней.

Голиков наконец не выдержал и обратился к специалисту по сверхъестественному. Эксперт был полутайный, как бы подлинный, и адрес вручил ему переменивший свою точку зрения Зябликов.

Эксперт, высокий старик, похожий на спятившего зрелого Дон Кихота, встретил его ласково и с чаем.

– Денег за духовные услуги не беру. Богом это запрещено, – ободрительно сказал он.

Голиков все рассказал. Эксперт помолчал минут десять. Потом сухо заявил:

– Случай – не вашего ума дело, Голиков. Причины и суть не могу вам поведать, потому что все равно не вместите, а если вместите, то умрете. Одно только могу посоветовать: живите как ни в чем не бывало. Плюньте на вашу тень. Непосредственной угрозы для вашей земной жизни она не представляет.

У Голикова потяжелели ноги:

– А для неземной?

Эксперт развел руками.

– Здесь очень много вариантов и возможностей. Не забивайте себе голову неземной жизнью. Не вы там хозяин.

...Голиков не стал забивать.

«Я существо невечное, – размышлял он, – что мне о вечности заботиться. Но все-таки боязно». Страх, хоть и мелкий, был, но под рукой на этот случай всегда была водка.

И наконец счастье улыбнулось ему. Не все коту побои. Встретил девушку. И где-то ее полюбил. Жену пришлось бросить.

Лена была существо нежное, впечатлительное и трусливое. Единственное, чего она не понимала, – это то, почему и за что она попала на этот свет. Голиков так в нее влюбился, что в пылу любовной горячки почти забыл о своей тени. А зря.

На третий день уже постельного их бытия Лена, проснувшись, увидела тень приподнявшегося над нею Голикова. Тень была до безобразия сверхъестественной и зримой. Леночка, которая улицу-то переходить всегда побаивалась, потеряла сознание. Обморок был глубок, но жизнь не задел.

Очнувшись, Лена собралась с духом и попросила его покинуть эту квартиру раз и навсегда.

«Я не за него, а за эту тень выйду замуж, если с ним буду жить», – пробормотала она про себя.

И потом подошла к зеркалу, любуясь своим существованием.

Голиков, сколько ей ни звонил, получал один ответ: «Я девушка нежная, трусливая и за сумасшедшую тень замуж не выйду».

Это окончательно сломило Голикова. Он запил, да так, что непрерывно пил всю оставшуюся жизнь и после смерти тоже.

Читатели

Семен Аркадьевич Глубоководов был, насколько он себя помнил, писателем, но помнил он себя не всегда.

Жил и творил он еще в советское время, особенно в 70-е годы. Писал о героях труда, хотя, если говорить прямо, были они у него со странностями. Из книги в книгу кочевал у Глубоководова главно-особенный персонаж его произведений – Никита Корягин. Кочевал он неизменно со своей супругой Викторией Гавриловной и со своей сестрой Ангелиной...

Все бы хорошо, но читателей у Глубоководова не было. Не было, как будто их вообще не существует. Глубоководов тогда затосковал. Сосед-старичок Аким Петрович один раз возьми и шепни ему на ухо:

– Не горюй, Сема, читателей надо искать в нижних водах.

Глубоководов изумился и спросил:

– А как их найти? Эти нижние воды?!

Аким Петрович ущипнул его за ляжку и сказал:

– Я тебя научу. Адресок дам.

И пошел Семен Аркадьевич Глубоководов искать читателей. Ибо Аким Петрович дал ему адресок. По этому адреску Семен и отправился. Открыла ему дверь преогромная дама в голубом:

– Вы от Акима Петровича? Знаю, знаю. Он предупредил меня. Проходите и будьте не то чтобы как в аду, но как дома.

Глубоководов удивился, но прошел.

– Мне читатели нужны, – пробормотал он.

– Будут вам читатели, милый Семен Аркадьич, – улыбнулась, словно она была с луны, дама. – Вы попали как раз вовремя. Меня зовут Милой, но только не называйте меня по имени.

Удрученный Глубоководов оказался в столовой. За круглым столом сидели пять человек, напоминающие мертвецов, сошедших с ума.

Дама в голубом пнула Глубоководова, указывая ему на свободное место за столом.

Один из людей, скорее напоминающий мертвый член, встал и сказал:

– Итак, начнем.

Глубоководов опять удивился.

– Семен Аркадьич, – доверительно сказала дама в голубом, – вы ведь хотите... – и дальше она прошептала что-то невнятное. – Итак, начнем.

Глубоководов любил своих героев. Особенно он почитал Никиту Корягина, самого развязного своего персонажа, смысл которого Глубоководов тщательно скрывал от несуществующих читателей.

И вдруг во тьме полугостиной этой раздался голос Никиты Корягина. Да, да, это был он! От радости и от безумия Глубоководов чуть не упал со стула. Он и во сне помнил все дикие речи Корягина, его интонации, но особенно ценил Глубоководов в своем герое скрытый мат. По цензурным соображениям Семен Аркадьевич не мог в советских изданиях выражаться через своего героя матом, но он изучил и поднял на высоту бытие скрытого мата.

И что же? Глубоководов не сомневался: вещающий голос принадлежал Корягину. Как тут не вспомнить его интонации, его разгул, специфические выражения, а главное – скрытый мат.

Деваться было некуда, и Глубоководов завыл, простирая руки к голосу, раздающемуся в темноте:

– А-а-а...

А тут еще Виктория, жена Корягина, взвизгнула прямо над ухом Глубоководова, причем так, как описал этот визг сам писатель, любя этот визг.

А слева сестрица героя романов Глубоководова стала с дальнего угла что-то причитать.

Дело до инфаркта Семена Аркадьевича не дошло, но с него стали сползать штаны.

Дама в голубом одернула штаны и проговорила, довольно грубо:

– Да не психуйте вы так, Сема, при чем тут штаны. Перед вами не штаны, а ваши герои.

– Чаво? – бормотнул Глубоководов, словно действительно прячась в штаны.

– Чаво, чаво. Перед вами ваши читатели, а вы их не любите.

– Какие читатели? – охнул Глубоководов. – Это мои герои.

– Какой вы непонятливый, однако, – вздохнула дама в голубом. – Вы что, первый раз на спиритическом сеансе? В стране развитого социализма это очень популярно.

– Ага! – ответил Глубоководов откуда-то из глубины штанов.

– Так вот, – едко пояснила дама. – Как всем известно, на этих сеансах из тьмы нижнего мира вызываются на свет Божий так называемые персонификаторы. Это психологические энергии, сгустки, еще не воплотившиеся в индивидуальном существе. Но они блистательно! – дама даже взвыла, произнося это слово: «блистательно», – могут перевоплощаться в кого угодно. В том числе в литературных героев... Это их игра, способ жить. Разумеется, к вызову умерших это более чем не имеет никакого отношения... Но приятно, хотя и опасно. С загробным миром нельзя шутить, даже с самыми убогими там...

Штаны с Глубоководова упали на пол. Он хотел взвыть, но не мог. Шепот его героев окружал его. Корягин шептал, что он вовсе не герой труда, а герой последнего мрака. Виктория бурчала о супе. Ангелина же шептала о сестринской любви к брату, который в романе был скрыт, как скрыт был неведомый миру мат.

Человек, похожий на мертвый член, встал и резко произнес:

– Прекрасно!

Он был, видимо, медиум, и недоиндивидуализированные духи замолкли.

На Глубоководова надели штаны, и дама в голубом укоризненно произнесла:

– Семен Аркадьич, да ведь эти низкие духи, так сказать, и есть ваши истинные читатели. С каким энтузиазмом они воспроизвели ваших героев! Я сама чуть не умерла. Они любят ваши книги, ваших героев. Они – это же полусущества, обладающие, однако, простым видом сознания. Мы с Акимом Петровичем знаем, – вздохнула дама, – что у вас нет читателей среди людей, хотя ваши книги издаются... Так приходите же к нам, в наш читальный зал, к загробным вашим поклонникам. Цените их... Ибо ласка всегда ценится, особенно в загробной ситуации.

Глубоководов переживал, но молчал.

Внезапно к ним подошел человек, напоминающий мертвый член.

– Хватит, Мила, – сказал он. – Не мучай его своими объяснениями.

Потом он, широко раскрыв глаза, взглянул на Глубоководова:

– Пшел вон!

И Глубоководов повиновался.

Человек, похожий на мертвый член, проводил его до двери и вдруг надрывно обнял его:

– Семен Аркадьич! Не помяните лихом! И помните: мы тоже персонажи спиритического сеанса. Не этого, конечно. А более высшего.

– Не понимаю, – еле шепнул Глубоководов.

– А чего тут понимать?! Просто высшие существа наблюдают за нами сейчас так же, как мы забавляемся с вашими героями... Прощайте! Или до свидания! И не забудьте купить новые штаны...

Глубоководов вышел на улицу. Он вдруг вспомнил, что ему рассказывала про спиритические сеансы его бабушка, знаток в таких делах. И он удивился, что этот спиритический сеанс шел не совсем по правилам. В нем было что-то необычное и пугающее. Он взвыл, но решил повторить.

Весельчак

Бывают семьи обычные и необычные. А эта семья была только с виду обычная. Сам Василий Семеныч Матеров уже два года сидел на пенсии, но жена Арина Викторовна оставалась, напротив, на работе, в полную силу, на своей фабрике, где проработала, между прочим, тридцать пять лет.

Бойкая была, ни во что никогда не верила, но читала много, особенно русских классиков. Как это она в себе сочетала – одному Богу, наверное, было известно. Иными словами, все она понимала по-своему.

То время давно прошло, и в права свои вступало третье тысячелетие, еще не успевшее достаточно пофантазировать относительно судеб человеческих. Арина Викторовна так и продолжала работать на своей фабрике. Помоложе она немного была Василия Семеновича, а попросту – Василия. Дети в третьем тысячелетии разбрелись кто куда: один попал на лесоповал, другой с женой, с немкой, жил в Германии. Дети о родителях даже минуту в своей жизни не думали, но деньгами помогали. Василий навсегда отрекся от любой работы.

– Хватит, намаялся, что я, слон какой, с луны свалился, чтобы работать, не зная покою и своих мыслей. Хватит! – решил он вслух.

Жена тогда стояла рядом.

– Отдыхай, Вася, отдыхай, – слезливо проговорила она. – И слону тоже нужен отдых, особливо ежели он в человеческом облике.

Последние годы своей рабочей карьеры Мастерова заедала тоска, которой раньше не было. И чем успешней он стоял в своей должности токаря высокой квалификации, тем больше тоска заедала его. Хотя никакой связи он тут не видел. Бросил работу, уйдя на пенсию, и сразу стало получше. Однако кидал он порой по сторонам какие-то совсем уже нездешние взгляды.

Жили они вдвоем в двухкомнатной квартире на окраине Москвы, в запустелом районе. Правда, рядом с домом открылся магазин, где все было.

Жили они на третьем этаже, и рядом по коридору размещались еще две квартиры. В одной, однокомнатной, существовал дядя Гриша, иначе – дедуля, но очень лихой, не по летам. А в другой, трехкомнатной, проживала мамаша Екаерина Павловна Лупанова с малыми детьми — колько их, сказать было трудно. Все три семьи кили полудружно, но матом — ни-ни. Лифта не ыло, вернее, он был, но не работал, а лестница тличалась не грязью, а своей какой-то немыс имостью. Но жильцам было не до мышления, ольшинство ко всему относилось просто.

Так прошел годик, и Василий запел. Этого с им никогда раньше не бывало. Аринушка услы шала его за ужином, когда Василий, изрядно по кушав, но без водки, вдруг запел, сидя в кресле.

Арина испугалась. Она последнее время вооб ще терпеть не могла никаких неожиданностей. А тут родной муж запел.

Пел он свое, несусветное, почерпнутое из дре мучих встреч где-нибудь в пивной. К примеру:

> Анатолий Петрович Копейкин
> Вдруг проснулся в широком гробу
> И глядит — перед ним на скамейке
> Виден черт, как он есть, наяву.

И так далее и тому подобное.

Аринушка всколыхнулась:

— Ты с ума сошел, Вася. Откуда ты знаешь, ка кой есть черт?! Сидел бы и молчал.

Но Матеров с тех пор молчать меньше стал, больше пел. И Аринушка, бедная, стала привы кать.

— Если тоскливо тебе, Василий, бывает, сходи в баню, — советовала она.

В ответ Матеров пел.

Со временем пение стало утихать, и Арина повеселела. А тут Василий как-то ей говорит:

– Мне к бабушке надо съездить.

Арина даже рот разинула. Она знала, что у мужа где-то в деревне, под Костромой, живет бабушка.

– Одна она у меня, – добавил Вася.

Арина застыла в недоумении, закрыв рот. Бабусе было уже далеко за девяносто, но Матеров ранее о ней почти никогда не упоминал, и вдруг...

– Объясни, – вымолвила Арина.

– Потянуло, и все, – отрезал Матеров.

Арина замолчала, но в уме вздохнула. «Пусть едет, раз тянет, может, петь перестанет», – подумала она.

Василий уехал как-то внезапно, ничего не говоря, просто исчез, и все. Арина обиделась, но не более. Почему-то подумала: «Дядя Гриша, сосед, мне как-то говорил, что чем ближе к смерти, тем чудаковатей человек становится... Но мой-то не такой».

Где точно живет бабка, Арина и не знала... Матеров вернулся через неделю.

– Батюшки! – ахнула Аринушка.

Она еле узнала его, до того у Василия стал свирепый вид, и в связи с этим изменились даже черты лица. Нос покосился, челюсть выдвиулась вперед, а глаза... Аринушка в страшном не таких не видала. «Съездил к бабусе», – мельнуло в уме. Глаза налились кровью и выражаи крайнюю решимость. Это тут же вылилось действие: Матеров начал крушить все, что наодилось в его квартире. Сначала полетел вверх, потолку, ветхий, еще довоенный стул. Потом ругой стул ударился в старинный буфет, доавшийся Арине от прадеда, разбил стекло, и грохотом рухнула посуда, находящаяся в нем. стальное не представляло ценности, но Матеов крушил все, на что падал его взгляд... Арина рала так, что сбежались соседи. Унять Матеро- было трудно. Дядя Гриша, к примеру, полетел а пол. Но даже в этом бреду Арина не решилась ызывать милицию.

– Еще засудят моего.

Но стражей порядка вызывать бы пришлось, ли бы Матеров не упал на диван и мгновенно е уснул.

Мамаша Лупанова ринулась к нему, обнюхала сказала:

– Ни в одном глазу.

Событие это перевернуло многое.

Наутро, когда Матеров проснулся, Аринушка идела около него и плакала. Она его жалела:

– Что с тобой, Вася, что с тобой было, расажи...

И даже погладила его по ноге.

Василий присел и тупо оглядел разгромле
ную квартиру.

– Буйствовать хочу, – сказал громко.

– Да ты что? Почему? Бабка, что ли, зелья т
бе подливала?!! Где ты был?

– Бабушку мою, Анфису, не трожь. Я у не
был и еще буду.

– А квартиру зачем громить?

– Квартиру восстановим, – задумчиво сказа
Матеров. – Тем более сын из Германии ден
передал.

Арина заплакала.

– Никаких денег не напасешься.

Матеров сурово ответил:

– Свое больше громить не буду. Обещаю. Н
другим достанется.

Арина пугливо оглянулась.

– Засудят.

– Не им меня судить, – уверенно ответил М
теров. – Придурки эдакие.

И пошел в ванную, под душ.

Арине он так и не объяснил свои порывы
тем более – при чем здесь бабушка. Обо все
этом молчал. Но морды бить прохожим потае
но научился – и без всяких последствий. Уда
ловкость и исчезновение, как в пустоту пров
ливался. И откуда только сила бралась. Ходи
далеко... Два дня вроде вел себя тихо. Но пото
до Арины стали доползать слухи о странных к

ıклизмах в виде, к примеру, погрома киоска, ашины или пустовавшей квартиры где-то в отıленном от них доме.

– Усмирись, Вася, – умоляла она его. – Не ıрашиваю, почему и что с тобой, просто усмиись ради меня. Разве ты меня не любишь?

Внезапно, после двухнедельного буйства, асилий затих. И снова стал петь. Милиция очему-то на его след не вышла. Соседи молчаи. Один дядя Гриша хитро улыбался и бормоıл:

– Все это неспроста, Василий теперь совсем ругой человек стал, не такой, каким был. Moет, это уже не Василий вовсе.

Лупанова отвечала:

– Не пугай, дедуля, не пугай. Я и так навеки апуганная.

Правда, Арина чувствовала, что ушел Васиий одним человеком, а пришел другим. «Я боıсь, что он вроде уже не он», – думала она.

Спрашивала его очень истерично:

– Скажи, кто ты? Кто ты?

И смотрела ему в глаза.

Василий глаза не отводил, но не было в них твета.

Арина боялась с ним рядом есть. «Кушаешь, а т него непонятно чем несет», – думала она.

Через полгода Матеров сурово и решительно казал:

– Я к бабусе опять уеду.

Арина ахнула.

Сказал без объяснений. Сказал и исчез, сло
но пропал.

Арина с горя решила тогда в Страсбургски
суд обратиться, но дядя Гриша остановил ее.

– Не бредь наяву, мать,– резко оборвал ее.

Но даже соседи обеспокоились: мало ли что
Арина день-деньской в свободное от работы вре
мя смотрела телевизор, но он нагонял еще боль
ше страху. Потому как и телевизор она понима
ла по-своему, как-то наоборот. От страху перед
мыслями пыталась уйти в свой живот. Поэтом
много и вкусно ела, поглаживая свой белый жир
ный живот, чтоб он своим наслаждением засло
нял ужас жизни.

Матеров вернулся резко. Хлопнул дверью, по
том вдруг затих. Осторожно обошел жену. И ска
зал:

– Давай в постельку.

Казалось, все утрясается. Но наутро, про
снувшись, жена взглянула в лицо Василия. Муж
полусидел на кровати. Взглянула и ужаснулась
Лицо Василия стало похоже на лицо какого-то
черного палача из будущих темных времен. Ари
на взвизгнула и спряталась под одеяло. Матеров
не обратил никакого внимания на ее визг. Тог
да Арина пропела, чтобы заглушить полоумный
ужас:

– Вась, а, Вась, как нам сладко ночью-то было.

Матеров повернул к ней свою бычью голову и произнес:

– Я зарезать тебя хочу. Убить.

Арина, не веря своим ушам, заверещала:

– Ты смеешься, что ли? За что?

Матеров икнул, внезапно схватил ее за волосы и встряхнул.

– Не веришь?

Аринушка окаменела. Кровь превратилась в каменную жуть. Она почувствовала, что Матеров говорит серьезно.

Прохрипела:

– За что? Скажи, за что, и я исправлюсь.

– За что? – рыком ответил Матеров. – Очень просто: за то, что ты смертна... Поняла что-нибудь?

– Нет.

– Я, Арина, бессмертную бабу ищу. Только с такой у меня на душе покой будет. А ты вся из себя смертная. Ишь брюхо без меня какое наела. Смертных убивать надо, они ведь для смерти и созданы.

Арина истерически задергалась:

– Да где же ты такую найдешь, бессмертную... А я постараюсь. Для тебя. Из шкуры вон вылезу, а бессмертной стану... Только не убивай.

Матеров устало зевнул и привстал:

— Дура ты дура. Давай мы сами решим, что с твоей жизнью делать и как ее казнить.

Матеров натянул штаны и добавил:

— Все-таки ты моя жена, а если в милицию донесешь, получишь по морде.

Арина решила хитрить. Раскинулась вся голая, белая на постели и кокетливо спросила:

— Неужели не жалко тело мое?

— Ну-ка встань, принеси водки и огурцов соленых с кухни. И за этот стол садись. Поговорим.

Арина все принесла и, голая, села.

Василий выпил стакан, помолчал и произнес:

— Я бы тебя еще ночью убил, если бы не одно обстоятельство. Много вас, смертных, всех не передушишь.

— А ты с себя начни, Вася, — от наглости своих слов его жена, перепугавшись, чуть не упала со стула.

— У меня другое на уме, — отрезал Матеров. — Я бессмертную бабу найду...

Ничего не понимая, но жалея себя, Арина выпила разом полстакана водки.

— Вот какое решение я принял, — задумчиво сказал Матеров. — Дам я тебе шанс...

Глаза его затуманились сумасшедшей болью. Опять схватил ее за волосы:

— Становись бессмертной... Вот твой шанс.

— Стану, стану, только не бей.

Ярость Матерова улеглась. «Он с ума сошел, – решила в уме Арина, и вдруг возникла мысль: – А вдруг стану?!!»

Матеров приблизил к ней свое расползающееся лицо:

– И еще одно обстоятельство есть. Дня через три мне опять к бабусе надо съездить. И тогда выяснится все окончательно.

Арина лишилась последнего ума от страха, и воля ее размякла, как лягушка. И она со всем согласилась. Иногда только вспыхивала в душе какая-то нелепая надежда. «Теперь пускай к бабусе своей уберется, а я тем временем убегу, – думала она. – Что с ним?.. Каждый раз, как съездит к бабке, словно в какую-то черную дыру проваливается и возвращается оттуда другим существом... То громит, то бессмертье ищет... Что теперь будет?! Что с ним там, у бабки, происходит, уму непонятное?!! Бежать надо, бежать...»

...Вася объявил ей, что вернется через три недели, а вернулся через шесть дней, когда его никто не ждал. Жена приготовилась к худшему. «Сейчас он меня наверняка зарежет. Ведь не бессмертная я», – мелькнуло в уме.

Сидела она на своей кровати, и Матеров подсел к ней. Сначала внимательно заглянул в глаза. А потом как захохочет. Арина замерла. Ей показалось, что сейчас вот-вот самое жуткое и случится.

— Я веселья хочу, — свирепо выговорил он.

— Почему? Отчего?

— Не твоего ума дело. Веселья, веселья на всю Вселенную! — закричал Матеров, раскинув руки.

— Откуда веселья-то взять? — заскулила Арина.

— Из себя. Водка — только подмога. Особой роли не играет.

Арина разинула рот и пристально вгляделась в Матерова.

И внезапно страх исчез, и небывалый подскок дикой радости, взявшейся изнутри, заставил ее соскочить с кровати и забегать по комнате.

Матеров был доволен.

— То-то, Арина, — одобрил он ее поведение.

— Как жить-то теперь будем?!! — вскрикнула она.

— Вот как ты тут бегаешь, так и жить будем.

Арина вдруг остановилась и спросила:

— А бабуся? Что она?

— Бабуся померла.

— Как померла?!! Когда?

Жена на минуту забыла о веселье.

— Три дня назад. И перед уходом в непонятное, на смертном одре, рассказала мне все о веселье, открыла тайну.

— И, умирая, веселилась?

— Не лезь в то, чего не понимаешь, — оборвал ее Матеров. — Сама веселись, пока живая.

— Как придурошная?

– Как та, которая выше и умных, и дураков. Все я беру на себя. Твое дело – видеть меня и брать пример...

Арина быстро накрыла на стол. Вытащила запасы, водку и закуску.

– Зачем это, Аринушка, мне и без того как на солнце... Солнце изнутри жжет, – тихо вдруг промолвил Матеров.

– Ну, просто обычай такой. Отпраздновать новое.

– Хорошо. Зови Лупанову и дядю Гришу.

Пришли соседи. Матеров предстал перед ними таким, что они чуть не упали в обморок. Такая уж от него шла энергия веселья. Он сиял так, словно превратился в эдакий возвышенный оргазм. Его энергия захватила гостей, и они, охваченные ею, сами вдруг, ничего не понимая, изменились. Брызги незримого шампанского летали по комнате.

Расселись уютно, напротив старого зеркального шкафа.

– Это все бабуся, бабуся, – бормотала Арина, словно приобщенная к тайне.

Через полчаса гости стали неузнаваемы, целовались с хозяевами и друг с другом, но больше – с неким незримым солнцем, влетевшим в комнату с того света.

Матеров орал песни, которые в его пении принимали несвойственный им смысл. На минуты энергия иссякала, незримое солнце уходило в свои бездны, бессмертием и не пахло, но тогда Матеров стучал кулаком по столу и кричал:

Я хочу веселья,
Только попроси!
Выходи, Офелия,
Попляши!

Голова его краснела, будто наливалась светом, и веселье возвращалось.

Арина все-таки не унималась:

– А бабуля-то где? А бабуся?

Дед Гриша ее оборвал:

– Не до бабуси сейчас!

– Выпьем за то, чтобы наше веселье раздулось до величины Вселенной, – произнес вдруг Матеров. – Пусть даже мы лопнем, лишь бы веселье осталось! В этом секрет!

– Пусть даже мы лопнем, но веселей везде будет! – хором закричали гости и Аринушка.

– Но не лопнем, не лопнем пока, а потом – через века – все понятия наши свой смысл потеряют и канут в бездну! – прикрикнул Матеров. – Вперед!

Все выпили, а от веселья весь ум пошел кувырком.

– Туда ему и дорога! – прокричал Василий.

– А бабуся?! – снова нахально вмешалась Аринушка.

– Бабуся?!

Матеров посмотрел в зеркало:

– Явится она там через несколько дней. Явится и пальчиком нам погрозит нежно: мол, помните о веселье, земнородные! Ха-ха-ха!

И единственное, о чем думали люди в этой комнате, – продлится ли их веселье до бесконечности и они уплывут на нем, как на лодке, в какие-нибудь голубые края или оно окончится, прервется, и опять нужно будет влачить нудную, тупую земную жизнь, одинаково идиотскую для всех живущих.

Матеров, однако, подмигивал веселящимся и внушал им надежду на бесконечность веселья.

Элизабет,
или Видения в аду

Эта обитель, как и ад, была невидима для жителей Земли, хотя после жизни они именно туда и попадали. Страну эту в виде огромного котлована со странным меняющимся пространством, вмещавшим в себя любое количество людей, могли видеть только три наблюдателя, которые и посвятили часть своей жизни этому исследованию. Они могли видеть в этой обители все, они прошли для этого великое посвящение.

Один из них был из России, другой – из Ирана, третий – из Индии.

Наблюдатель из Индии считал, что туда, в этот Мировой Город, полуматериальный даже, попадают только ничтожные души. Тот, который из Ирана, считал, что туда идут почти все современные люди. Русский же полагал, что нет, только ничтожные, но иногда, по какому-то жутковатому метафизическому капризу, провалу во Вселенной, туда можно угодить случайно, ненароком, ни с того ни с сего. Говорит, что возврата оттуда нет, потому что место это якобы вне вселенского порядка – и лучше попасть в ад, к злодеям, чем туда. Индус и иранец соглашались, но отметили, что в отдельных случаях возврат возможен, но... Здесь даже они умолкали.

Элизабет, видимо, попала нормально. До своей смерти она работала в Нью-Йорке, в банке, муж был крупный бизнесмен, менеджер, трое детей, три машины, 25 суперсовременных приборов, автоматов, компьютеров и так далее. Дом двухэтажный их – 15 комнат, бассейн, сауна, сад. Религия – католицизм, хобби – никакого. Лесбийских отклонений не наблюдалось. Интересов никаких, если они не оплачены. Все дни – работа, работа и работа. Вечером – телевизор. Отпуск не брала, в выходные дни – прогулки в парке, иногда теннис. Так прошли последние 15 лет, и прошли бы еще 20, если бы Элизабет вдруг не умерла. Стрессы на работе, сердце. Впрочем, в ту обитель попадало неимоверное количество людей из ее страны: банкиров, менеджеров, президентов и так далее. Эта страна была главным поставщиком. Но таинственность состояла в том, что Элизабет при жизни отличалась одной скрытой от посторонних глаз особенностью. Она частенько дико кричала по ночам, пробуждаясь от сна, в котором не было ничего. Но, может быть, именно этого «ничего» она и ужасалась и вскакивала с постели, безотносительно-бессвязно вопя в черную пустоту ночи. Хотела обратиться к знаменитому частному психиатру, но тот драл такие деньги, что и Элизабет, и ее муж истерически отказались: они были предельно бережливы, да и самосознание росло только с увеличением счета. Его, огромного, нельзя было уменьшать, а то помрешь. Но Элизабет все-таки померла, хотя счет в банке рос и рос...

Попав в обитель, Элизабет огляделась. Ее остаточное, энергетическое, как говорят, тонкое тело тускло сияло в полутьме. И началось, и началось! Элизабет, как только попала она на тот свет, сразу захотелось оргазма, хотя голова от ошеломления и испуга шла кругом. Иными словами, ей захотелось скрасить свое существование на том свете. Но кругом было одно труположство, оно здесь было самым обычным делом, как там, наверху, – съездить в магазин за продуктами, сходить в лавку. Элизабет было обрадовалась, но потом мгновенно испугалась своей радости. В ту же минуту последние остатки того сознания исчезли в ней, и она поняла, что на самом деле она уже не она, а просто крик, тот самый, которым она визжала по ночам там; сгусток энергии крика. Вот во что она превратилась здесь. И потому радости ее не было конца. Но как только она хотела приступить, труп исчез... Вообще, здесь непонятно было, кто живой, а кто мертвый, все слилось в один мир; отличие состояло только в том, что мертвые хохотали, а живые, напротив, были тише воды ниже травы. Не было границы между рождением и смертью. Если кто-то и рождался (откуда – неизвестно), тут же умирал, потом исчезал, через день опять рождался, хихикая. Тела тоже были неопределенны: они менялись, принимали причудливые формы, не поймешь, где голова, где зад, – и весь мир этот покрывался дурным сиреневым туманом, но пространство было не наше. Время то было, то не было.

Элизабет прямо-таки обалдела от всего этого. «Если и времени нет, – мелькнуло в уме, – то хоть оргазм должен быть». И оргазм тут же случился, ни с того ни с сего. Бешеная жажда любви овладела ею. «Энергетическое» тело стало издавать какие-то звуки, серый свет полился из рук. Но в гигантском мраке превращений она не могла сразу отыскать дружески настроенное тело, подходящее для «любви». «Кто живой здесь, кто мертвый, где трупы? Кто женщина, кто мужчина? – мелькало в ее уме. – Куда они исчезают, откуда появляются, где правда, в конце концов? Где факты?»

Наконец она увидела тронувший ее воображение труп. Он шипел, звучал, одним словом – маялся. Она вдруг пожалела его и пробормотала: «Где?» Оседлала любимый труп. Оргазм состоялся, но труп исчез. Дым исходил от места любви.

В слезах Элизабет оглянулась. Ее тело смякло от разрядки, но возникла тоска. Тоска от того, что любимый труп провалился куда-то. Она отошла в сторону. Вой, шепот, еле слышные крики поднимались в черно-багровое небо. В этом небе трансформировалась человеческая кровь. И небо этой обители уходило далеко-далеко, сливалось с нашим земным небом, только жители Земли его не видели, они видели голубое, бездонное, как будто чистое от крови, земное небо и любовались им, как дети.

Элизабет заблудилась. Она уже забыла о трупе, о его существовании, но тоска все росла и росла. И тогда она поняла, от чего она здесь тоскует. Это пронзило ее бедное, меняющееся неземное тело, как шаровая молния. Ее осенило, что она тоскует, потому что хочет Вечной Любви, благой и верной, чистой до конца времен. Надо было присмотреться. Шепот вокруг говорил о желании счастья. Об этом шептали все – и мертвые, и живые, и трупы, и прыгуны, и дети. Их тела исчезали, превращались в шары, откуда доносился писк, ум проваливался в бездны. Черная сперма разложения текла из полуоткрытых ртов, глаза горели, как огни ада, но все твердили одно: «Мы хотим счастья!»

«Как дико все-таки», – подумала Элизабет.

И действительно, все было дико, ибо уходило в пустоту распада, в пустоту, где даже мысли о

Боге становились бессмысленными и ничтожными.

Но о счастье шептали все, уходя, исчезая, унижаясь. Одна Элизабет хотела Вечной Любви. Может быть, потому что она кричала там, на Земле, во сне отдыхая от заунывно-счастливых будней и работы. Элизабет еще раз огляделась вокруг. Копошение как вид жизни продолжалось. Оргазм был, но счастья не было.

Тогда Элизабет стала всматриваться вдаль: может быть, там есть Вечная Любовь. Ибо вокруг, где все исчезало, возрождалось, выло и суматошилось, затихая, не было надежды найти что-либо похожее на то, что можно было полюбить бессмертной, чистой любовью. А когда она там кричала во сне, внутри ее воя и зародилась эта смутная идея о Вечной Любви. Почему-то именно здесь в ней все это проснулось. Но некого было любить такой любовью. И она дико всматривалась в меняющийся страшный горизонт вдали.

И вдруг увидела там Глаз, скорее, некое подобие Глаза – в огненно-красной дали.

«Там, там, там, – почудилось в ее уме. – Там все! Туда!»

И она обнаружила, что движется – туда, в незнаемое пространство. Некое затмение в уме, и вот она в пустыне. Где Глаз и его обладатель? Там, там! И по мере приближения к нему Глаз исчезал, но она увидела фигуру на горизонте.

Это Он! По мере ее приближения фигура все росла и росла; да, это был человек, но он лежал на земле, на земле ада.

Элизабет приближалась, и тело непомерно быстро росло, заполняя собой горизонт. Элизабет оглянулась и увидала, что недалеко от нее, по пустыне, в том же направлении идут люди. Туда, туда, к Нему. Гигантские руки его были раскинуты по земле, и Он лежал лицом на животе. Видно было непомерно распластавшиеся уши, похожие на крылья. Он был неподвижен.

И тогда Элизабет поняла, что это гигантский труп. Она ужаснулась, но, завороженная, шла к нему, как и другие люди-полупризраки.

– Кто это? – спросила мысленно у ближайшего к ней человека.

– Наш властелин, – был ответ.

«Властелин этого края», – отозвалось в уме.

Его раскинутые руки цепко, по-мертвому, держали, словно в объятиях, эту землю.

– Любовь искала, Вечную Любовь! Нашла труп! – беззвучно прошептала Элизабет. И по мере движения к трупу она стала каменеть и останавливаться. Шаги ее становились все тяжелее и тяжелее. Она с трудом повернула голову и увидела, что почти все люди в поле ее зрения остановились и тоже стали каменеть. Другие двигались, но все медленней и медленней...

Элизабет остановилась. Вдруг стала каменеть ее еще живая, пусть из тонкой материи, утроба, ей родная утроба, которую она раньше нежила по ночам. И постепенно все стало автоматическим, даже поцелуи детей или тайный секс.

Но все-таки! У нее было в молодости живое, трепетное тело, и она могла делать с этим телом все, что она хотела. Все было в ее власти. Что же будет теперь?

Вдруг стали каменеть ее нежные щеки; затвердели, как Смерть, и постепенно она превращалась в статую, оставалось еще, правда, личико. Начиналась новая, каменная жизнь. И все существа вокруг, а их было бесчисленное множество, превращались в статуи, замирая перед раскинувшимся вдали Трупом. И последними каменели глаза. Но – о чудо! У Элизабет глаза, только одни глаза, оставались живыми. Все каменело: лицо, губы, руки, но глаза оставались прежними – непомеркнувшими. Может быть, потому что она все еще ожидала Вечной Любви. И глаза статуи, называвшей себя Элизабет, истерически блуждали, останавливаясь то на Трупе, то на окаменевших фигурах вокруг. Мгновенно она вспомнила, как в молодости (там, на Земле) любила гладить свои колени и ноги, наслаждаться своей нежной кожей, млеть в теплой ванне. Вспомнила, как она вздрагивала всем телом от малейшего внезапного звука, боясь за себя, пронзенная до последней клеточки собственным существованием. Правда, потом все это ушло, задавили заботы, хлопоты.

Труп не шевелился, но она (точнее, ее глаза) увидела, как пространство между статуей стали заполнять многочисленные существа, бывшие люди, тихие, незаметные, поникшие, небольшой, но причудливой формы. Вокруг Элизабет мелькали тела униженных чудовищ. Перед ней возникало шарообразное тело, увитое бедовой паутиной, потом – змеевидные твари, бессмысленно извивающиеся. Эта юркая жизнь непонятных людей так и увивалась вокруг неподвижных фигур, статуй, чьи очертания навевали мысль о прошлой земной форме людей. Сиреневый туман восходил к небесам. А труп, сам неподвижный, вдруг стал отдаляться, словно сама земля под ним задвигалась...

И, наконец, Элизабет увидела тень торжествующего демона этих миров. Огромная, она появилась на небе, заслоняя, затемняя выход к далеким звездам.

Вихрь пролетел по земле, и каким-то своим существом демон этого мира приблизился к Трупу. Словно холодный эротизм Люцифера коснулся тела Трупа, и он содрогнулся. Зашевелились его огромные крылья-уши. Но Труп не взлетел, только судорога ледяного наслаждения прошла по телу.

Дьявол с ликующим криком бессмертия уходил все дальше и дальше, в глубину этого неба – в кровавую бездну этой обители, даже в то небо, где оно уже начинало сливаться с нашим, безмятежно-голубым. И демон стал впитывать в себя эту человеческую кровь, превращенную в энергию ада, багровый отблеск, который озарял этот мир.

И вдруг с неба в зареве адской энергии на эту землю стали падать капли, их было совсем немного, сгустки огненной спермы Дьявола, Князя этого мира. Лед его прикосновения превратился в огонь. Юркие существа сразу превратились в свою Антитень. Элизабет же охватило безумие. Ее глаза, закованные в камень, блуждали, следя за этими огненными вспышками. Все ее существо выражало одно: вобрать в себя эту могучую огненную влагу, расплавить ею камни – одни камни, камни в ее душе, в сердце – и выйти из статуи с гортанным криком ликующей дьяволицы: демоны и высшие силы не замечают ничтожных душ.

Ее челюсти оставались неподвижными, несмотря на отчаянные усилия, она не могла разомкнуть их, чтобы налакаться, лизнуть хотя бы атом этой спермы, той странной субстанции мрака, которая дает тварям черное бессмертие. Но все было напрасным: ее челюсти были навсегда замкнутыми. А глаза все живели и живели невиданной тоской. Тоской по этому элексиру черного бессмертия, по элексиру Мрака.

Она видела, что многие статуи вокруг жаждут того же, видела, как чуть-чуть содрогаются камни их челюстей.

В новом существе Элизабет еще появлялись прежние мысли, но внезапно врывались чужие.

В конце концов, где ее нежные груди, которые она любила ласкать в детстве, где оргазм, где ее мягкое тело, где недавнее, энергетическое, но все же живое, почему все превратилось в непонятную твердую массу, похожую будто бы на земной камень?

«Это только начало, Элизабет, только начало, – ворвались неожиданные чужие мысли, – то ли еще будет. Скоро ты не сможешь думать как раньше, все будет иным, иным...»

– Я хочу черного бессмертия, – отвечала в полубреду Элизабет.

– Странная ты дурочка. Недавно ты хотела Вечной Любви, – отвечал каменно-живой голос. – Элизабет, Элизабет, не тебе, помешанной на оргазме, мечтать об этом. Вечная Любовь приходит от Бога, а Любовь, которая от Бога, убивает похоть и страсть. Ты просто в юности начиталась книг, и теперь вдруг это вышло на поверхность, этот лепет...

– Что же мне делать?

– Примириться. Дьяволицей ты тоже не сможешь быть. Чтобы приобрести черное бессмертие, тебе, смертной зомби, надо было понять одно: как близки между собой оргазм и смерть, понять их тайную связь... Тогда, может быть, у тебя был бы шанс, маленький, но был бы...

– Мои мысли каменеют, что будет взамен?

– Скоро ты превратишься в иную тварь, милая Элизабет. Вместо мыслей будет другое. Постепенно ты превратишься в каменный – конечно, это не ваш, земной камень – в каменный шар, и тебя забросит в рассеяние, в далекие углы За-Вселенной, куда уж попадешь, там и будешь. Смотри своими псевдо-глазами на статуи вокруг тебя. Но не плачь уже остатками своего сердца, Элизабет, не плачь, это тоже будет жизнь, медленная, тягучая, на многие-многие тысячелетия... Но потом ты выйдешь оттуда; ад не вечен, Элизабет, да это и не ад, а просто пыль ада. И ты опять будешь долго-долго, миллиарды лет крутиться по Вселенной, превращаясь в бесчисленных причудливых тварей в грозных неведомых полумирах. Дьявол любит причудливых тварей... А потом опять представится шанс, который ты упустила, будучи человеком... Не упусти его в следующий раз, через миллиарды миллиардов лет, – чуть неслышно закончил голос.

А огненные капли, падая на землю, вызывали к жизни цветы ада с глазами безумных существ, словно эти цветы готовы были превратиться в детей Люцифера.

Но внезапно что-то произошло, и то, что она принимала за реальность ада, исчезло, и видения Элизабет закончились. Это была таинственная полудрема, в которой трудно было различить, какие влияния проходили извне, какие из ее, казалось бы, дьяволоподобного нутра. Все смешалось в безумном преддверии ада. Последнее, что она заметила, – это гигантскую огненную стену, словно отделяющую ад от других шести миров, видимых и невидимых, окружающих нашу планету во всех ее измерениях. Элизабет, кстати, когда-то в юности случайно прочитала об этом в одной удивительной книге.

...Но постепенно она входила в новую жизнь, в жизнь ада. Никаких озарений, все ощутимо, грубо-реально и жутко. И тело ее другое, и вокруг вещественно, но в ином качестве, чем прежде, при ее уже уничтоженной той жизни, от которой остался только труп, позабытый всеми, ибо никто не хотел даже во сне думать о смерти.

...Жуть охватывала Элизабет, но, пожалуй, главным было то, что она не могла понять, почему и за что она попала в ад. Ведь в целом она вела жизнь такую же, как все. «Понятно, – думала она, – что сюда попадают те, которые причиняли людям зло». Но она ничего такого не делала. И если она не знает, за что, то, значит, многие люди, которые в основном вели жизнь такую же обычную, как она, тоже попадают в ад. Значит, у всех был в жизни, внутри них самих, какой-то чудовищный, глобальный изъян, которого они даже не замечали...

Эти мысли молниеносно охватили ее, но потом мгновенно исчезли, как будто их не бывало... Жуть трепетала в ней по мере углубления в ад, но вместе с тем странно, что ее саму что-то привлекало там, тянуло туда, в тайниках ее свободной воли. Но жуть охватывала ее все больше и больше, и вдруг она осознала, что уже входит в ту сферу ада, которая означает ад одиночества, тотального и безысходного, ни единой души, никакого отклика, одна мрачная, бесконечная пустота...

Наблюдатели решили отдохнуть.

– Но куда же ушла божественная, онтологическая подоснова этих людей, данная всем, образ и подобие Божие? – спросил иранец.

– Она ушла в свой первоисточник, – ответил индус.

– Но как же они тогда вообще существуют? – возразил русский. – Тут что-то не то.

Индус пожал плечами, и они пошли в таверну, расположенную под огромным цветущим деревом, чтобы пить душистый зеленый чай и тихо беседовать о Боге в Самом Себе.

Нега жизни

Этого Елизавета Вердина, тридцатилетняя, но уже опытная журналистка, никак не ожидала. Четыре твердых, жестких, как ад, мужских руки подхватили ее. Одна рука – за голову, другая – за шею и спину, третья – за талию, а четвертая – за нежный зад.

И понеслось, понеслось!

Лиза хотела крикнуть, но, во-первых, рот был зажат, во-вторых, кто-то шепнул ей в ухо:

– Будешь квакать – прирежем.

И холодный нож чуть-чуть прогулялся по спине.

Она всей душой это почувствовала и замолчала.

Несли ее через двор, заваленный досками, песком, – велись работы. Вечер – темновато, никого не было вокруг, кроме кошки. Несли ее замысловато, не обычным ходом, а через щель, и вывели на грязный проулок. Тут ее ждала машина, пусть не лимузин, но все-таки... Лизочку затолкнули туда и помчались. Она не видела ничего вокруг, не понимала, куда ее везут, – была в полуобморочном состоянии. В голове почему-то мелькали образы детства, как она, девочка, пряталась в деревеньке в баньке, как собирала грибы и ела их с аппетитом.

Водитель машины тихонько пел. Пел он что-то свое, то веселое, то надрывное. Двое мужчин на заднем сиденье, обхватившие Лизу, спали.

Наконец выехали за Москву, и все дальше, дальше и дальше.

– Эй, приехали, – сказал наконец водитель двум заснувшим мужикам.

Те встрепенулись, подхватили вялую Лизу и вынесли ее. Кругом – тишь, ни души. Оказались они посередине дворика, внутри него заброшенный то ли дачный, то ли деревенский дом. «А что внутри дома, – подумала очнувшаяся Лиза, – одному Богу известно». Язык ее пересох, надломилась и душа, она слова не могла произнести. Ввели ее в дом, открыли подпол и посадили туда, правда, в кресло, а рядом стояла раскладушка.

Один из мужиков, низенький, с руками, как щупальца, покачал головой и ткнул себя пальцем в висок, повертев, однако, пальцем. Жест этот, по своему прямому смыслу, означал, что Лиза сошла с ума. Тем более мужик пристально на нее посмотрел. Но Лиза подумала наоборот, решив, что мужик указывает на себя: мол, я – сумасшедший. Ей стало страшно вдвойне. «Лучше бы изнасиловали», – подумала она.

Но второй мужик ее успокоил, хрипло проговорив:

– Ты лежи и помалкивай. Главное – молчи.

И они взобрались наверх.

Почти в сомнамбулическом состоянии Лиза забродила по подвалу. Сверху ей слышался приятный старушечий голос. Вдруг ей пришла мысль о крысах, и вся она превратилась в дрожь. Дрожь длилась минут пять, пока не открылся люк, сверху по лесенке стал спускаться человек, мужчина сильного телосложения, стройный, лет около сорока. В подвале горела тускло электрическая лампочка, горела бредово, как на дне. Мужчина обернулся, и Лиза увидела его глаза. От страха она юркнула в кресло. Мужчина подошел, нагнулся над ней и посмотрел ей внутрь.

– Не бойся меня, – тихо сказал он. – Не людоед я...

Взгляд его поражал сочетанием тяжести, угрюмости и ума. Разум в его глазах был мрачен какой-то своей правдой. Лизочка завизжала.

– Не трону, не ори. Визг не спасет душу. Лучше посидим рядком, – и мужчина вытащил из-за спинки кресла хилый табурет и присел рядом. – Поглядим в глаза друг дружке... Ты, небось, не ела давно? – громко рыкнул он.

Сверху что-то приоткрылось, и раздался сладкий старушечий голос:

– Накорми ее, накорми... гостью. Нехорошо!

Лиза вдруг собралась с духом:

– Ответьте, зачем я здесь?!.. Что вы со мной хотите сделать?!.. Скажите?!.. Убить, съесть, добить?!..

Мужчина захохотал.

– Вы о себе чересчур высокого мнения. Съесть! Ишь чего захотели... Мне от вашего мужа нужны деньги – и только. Большего, чем деньги, вы не стоите.

Лиза обиделась, но обалдела.

– Деньги!.. Какие деньги?? Мы с мужем честным, нормальным трудом, как все порядочные люди, зарабатываем и не воруем! Он компьютерщик, я учительница и журналистка.

– Галя, и вы мне зубы заговариваете... Вы рехнулись, что ли? Условно я – Душин Петр. От слова «душа» и от слова «душитель»...

Лиза от таких слов содрогнулась и заплакала.

– Мы работаем и не воруем, – заговорила она сквозь слезы. – На нас весь мир держится, а не на ворье... Что вы от меня хотите?!.. Ну, убейте... А почему вы меня Галей назвали? – внезапно поинтересовалась она.

Душин удивился.

– Что вы голову морочите? Отпираетесь... Не стыдно?.. Вы – Галя Медакина, жена миллионера.

– Галя Медакина?! – Лиза чуть не завыла от счастья. – Вы ошиблись! Я – Лиза Вердина.

Она быстрым движением вынула из своей сумочки паспорт и сунула его Душину. Душин прочел, глянул на фотографию и выпучил глаза.

– Значит, вы – это не вы... Хороши... Идиоты... Это все Темный перепутал. Во всем, скотина, хорош, но иногда на него находит...

Лиза вскочила с кресла.

– Вот видите! Я – это не я... Клянусь своей жизнью, что никому не скажу...

Душин схватил Лизу за шиворот, как кошку.

– Ишь человек труда... Не гордись... Все мы под Богом ходим... Теперь идем наверх чай пить.

И он втащил Лизу наверх. Провел в комнату; все скромно, тихо, самовар, цветочки... Усадил за стол. Появилась и старушка, Варвара Егоровна.

– С чем чай-то будем пить, сынок? – спросила она с любовью у Душина.

– С вареньем и пирожками. Водки – ни-ни.

Возник и еще один человек, Крабов Гена, низенький умный мужчина лет тридцати четырех. Душин этого своего человека иногда любовно называл гиеною.

– Где Темный? – спросил Душин. – Разобраться надо.

– Уехал, как сказано ему, – ответил Крабов. – Завтра приедет.

Варвара Егоровна быстро устроила чай за круглым столом.

Крабов почему-то чай пить не стал и сел в дальнем углу, у окна.

— Рассказывай, — буркнул Душин.

Лиза вдохновилась, чувствуя, что у нее есть шанс выжить.

— С Медакиным я познакомилась, потому что он хотел, чтоб я взяла у него интервью. Типа такой биографической большой беседы. Ему мои статьи о будущем человечества понравились. Ввел в дом; познакомилась и с его женой Галей... Он ее, по моему ощущению, очень любит...

— Знаем мы это, знаем, — мрачновато подтвердил Душин. — Есть у нас источник.

— Про источник не слышала и не знаю, — поспешно и трусливо проговорила Лиза.

Душин поглядел на нее и как-то доброжелательно-зловеще улыбнулся.

— От твоей улыбки, Петя, у чертей волосы встанут дыбом, — озабоченно вставила мама Варвара Егоровна.

— Это их забота, мать, — сурово ответил Душин. — А тебя, Лиза, я как на ладони вижу. Мы с тобой как-то договоримся. Не дрожи. Дальше.

— Ну, я написала все как надо. Сегодня и принесла ему. Галя чуть не в слезы — как написано! Я ведь все изобразила!.. А я возьми и пожалуйся: по ночам и даже днем тревога непонятная заедает. И причины вроде нет. Живем мы хорошо. А душа куда-то стремится, черт ее знает, куда.

— И часто у тебя это? — тихо спросил Душин.

— Раньше бывало, а сейчас стало душу дергать...

– Молодец, – угрюмо прервал Душин.

Лиза даже вспыхнула от такой похвалы. Ноги перестали дрожать.

– Галя тогда и говорит мне: «Знаете, вам надо сходить к психоаналитику». Я сдуру кивнула. А она продолжает: «Мне сегодня к вечеру надо съездить к моему психоаналитику. Очень вдумчивый молодой человек. Но завтра мы с мужем вылетаем в Южную Америку. Я устану... Поэтому, Лиза, сходите на прием вместо меня. Я ему позвоню. Прием оплачен, весьма дорого, но для нас это пустяки». И тогда она обращается к Виктору: «Давай сделаем Лизе любезность; она так красиво на нас поработала и заслуживает не только гонорара». Муж тут же согласился. А один из водителей подбросил меня на машине к этому врачу и потом уехал. И я оказалась у психоаналитика, Льва Эдуардовича. Вышла от него, и ваши мальчики меня схватили...

– И как психоаналитик? – улыбнулся по-своему Душин.

Но Лиза освоила его улыбку.

– Психоаналитик сам псих. Такого наговорил, что у меня, мол, с детства подспудное желание самоубийства. Ну, отродясь никогда и нигде такой страсти у меня не было. Наговорил, что всю жизнь, особенно во сне, я стремилась переспать с птицею, с соколом, и улететь. Отсюда мое стремление куда-то в бесконечное, тревога... Ну надо же таким кретином быть!

Душин процедил:

– Хорошо. Без таких скучно было бы.

Варвара Егоровна вмешалась, отпивая чай из пиалы:

– Вот почему Темный напутал. Мы за Галей-то следили. Машину шофер останавливает на улице, рядом с домом, но во двор не въезжал, потому как там грязь, строительство; не проедешь по-человечески. И Галка та через двор пошла. Вот тут-то мы ее и хотели схватить сегодня. – На, Лизонька, пирожок, пирожок, только вот этот попробуйте! – Вместо нее привезли в темный вечер, ребята не разобрались...

– Они Галю в лицо особо не знали, а вы, Лиза, на нее фигурой похожи, – объяснил из угла Крабов.

– Так неужели моя смерть пришла из-за того, что мы фигурой похожи? – не выдержав, разрыдалась Лиза.

– Ладно, доченька, не рыдай, – утешила Варвара Егоровна. – Мой Петя завсегда со смертию в ладах был...

– Разберемся, – подтвердил Петя.

– Как же мне доказать, что я на вас не донесу, если вы меня отпустите, – слезливо пожаловалась Лиза.

Душин расхохотался.

– Мне бы ваши проблемы, – сказал. – А сейчас спать.

– Баиньки, баиньки, – пропела Варвара Его-ровна.

– Лизе постелить в левой комнате, на мягком диване. В подвале ей делать нечего, – разъяснил Душин.

– Вы только, Лизонька, не вздумайте убежать... Мы живем скромно, но у нас охрана; не ровен час – пристрелят, – заботливо высказалась Варвара Егоровна. – А вы, я гляжу, до жизни охочи...

Душин встал.

– И ночью не обливайтесь холодным потом. По-мужски говорю, никто вас не тронет, и я в том числе. А утром поговорим.

...Утро выпало солнечное, с голубизной. Лизу ночью мучили кошмары, будто ей на том свете тяжело придется. Все вздыхала и вздыхала во сне. Но проснулась – и кошмаров нет как нет. Был уже полдень. За стеной слышен был голос Душина. Он разговаривал с кем-то довольно резко. Лиза оделась, вышла, и ее добродушно встретила Варвара Егоровна.

– Ну, дочка, – проворковала она, – садись завтракать. Мы уже.

Завтрак оказался плотным, вкусным.

– А я уйду, – добавила старушка. – Петр хочет с тобой наедине побеседовать по душам.

У Лизы слегка задрожали колени. Вошел Петр, и она молниеносно увидела в его по-прежнему мрачных глазах тайное доброжелательство. Дрожь в коленках тут же прошла, и она успела даже быстро погладить свои колени – мол, жива и буду жить.

– Как вас по батюшке, – робко спросила Лиза.

– Зови меня Петр, – сурово ответил Душин. – С тебя хватит такого названия.

Он сидел против нее за столом, а она растерялась и не могла кушать дальше. Помолчали.

– Как же они меня спутали? – прошептала Лиза.

Душин махнул рукой.

– Темный не потрудился посмотреть, на месте ли «Мерседес» ваш. Он отъехал, и это должно было бы вызвать сомнения. «Мерседес» всегда ждал Медакину.

Лиза хмыкнула и собралась что-то сказать.

– Где твой муж, родители? – прервал ее Душин.

– Муж в командировке. Родители далеко, в Ростове.

Душин посмотрел на нее сочувственно. Этот взгляд придал ей смелости.

– Петр, кто вы?.. Вы такой странный, непонятный для ума человек!

Душин нехорошо улыбнулся, но Лизе понравилась эта жутковатая улыбка.

– Я – человек, которому этот мир не нравится, – проговорил Душин, но улыбка не исчезала на его лице.

– В каком смысле – не нравится? Вы ведь имеете в виду весь мир?

– Я имею в виду все.

– Может быть, только этот, земной мир? Или другие тоже?

– Все они хороши, – угрюмо ответил Душин. – Но вообще-то я говорю об этом...

Лиза замолчала.

– Тревожно в нем как-то, – поежилась она. – Нету определенности. Не поймешь, что в конце концов с нами будет... А я-то в чем виновата перед вами? – спохватилась она. – Денег у меня нету. Вы, небось, за Галину миллион с гаком хотите?

Душин расхохотался.

– Не меньше.

Лизе внезапно стало страшно за него.

– Петр, но это же авантюра, риск! Виктор, ее муж, всю Москву на ноги поднимет! У вас ничего не получится.

– Получится. Мой источник описал этого человека. Он слишком любит жену, больше даже, чем своего сына. Да и вообще, я детей не трогаю. Он человек слабый в этом плане и не будет рисковать ею... А детали все продуманы до конца.

Лизой овладело странное беспокойство за Душина.

– И что же, неужели нет риска?

– Риск есть, но небольшой.

Лиза вздохнула.

– Петр, и зачем вам такие деньги? Я, например, без всяких денег счастлива. Мне тоже это мироустройство не по душе, но что делать? Я тревожусь, но я счастлива, потому что живу, потому что я есть. Все самое главное дается бесплатно... Жизнь, любовь, вера, творчество, бессмертие души... – Лиза воспалилась. – Вы такой необычный человек! Были бы вы... – она замялась.

Душин улыбнулся.

– Был бы я обыкновенный бандит, ты бы со мной так не говорила... Да и я бы с тобою говорил по-иному...

– Вот именно, – обрадовалась Лиза.

Душин встал, подошел к шкафу, вынул оттуда бутылку водки, отлил полстакана и выпил. Лиза испугалась. Душин вернулся и проговорил:

– Все, о чем ты, Лизок, причитаешь, – правда. Но эта правда не для меня. Я, Лиза, оградиться от мира хочу. Чтобы вообще в нем не участвовать. Ни в каком смысле. Ни в бытовом, ни в деятельном, ни в душевном – ни в каком. Но для этого деньги нужны. Относительно большие деньги. Я знаю, как с этими деньгами устроить для себя другую жизнь. Надоел мне этот мир, и все тут.

– Слава Богу, что вы о самоубийстве не мечтаете...

– Еще чего...

Лиза вздохнула.

– Жестоко очень. Галину-то. Я понимаю, жесткость нужна, но жестокость... не дай Бог.

– Ничего с этой Галиной не случится. Еще благодарить меня будет за развлечение. Не все же по курортам кататься, надоедает...

– Эх, – только и сказала Лиза. – Я тоже по курортам ездила, но мне лучше в саду, на даче, на травке лежать и думать – о том, что я жива...

Душин даже выпучил глаза.

– Если я странный, то и вы странная, Лиза. Надо же так радоваться, оттого что существуешь...

– Не я одна такая... Петр, но вы-то разве не радуетесь?

Душин загадочно посмотрел на нее.

– Ты многого хочешь сразу... На такой вопрос я тебе пока ответить не могу.

...Прошло три дня. Они уже стали яростными и неразлучными любовниками. Варвара Егоровна души в Лизе не чаяла. Все улыбалась и даже подмигивала ей. Кормила отрадно, вдоволь. Темный и Крабов осторожно прислуживали ей по понятиям.

В бреду поцелуев Лиза шептала:

– Откуда у тебя власть такая над людьми... Кто ты, Петр? Ты так и не открыл мне себя...

Петр молчал, и она уходила в бред. В этом же бреду страх порой овладевал ею.

– Мы останемся вместе навсегда... – шептала она. – Но не надо идти на риск и преступление... Мы найдем, как отгородиться от мира... Деньги только свяжут с этим проклятым миром.

Отдыхая, за обедом, за чаем, она, расширив глаза, говорила:

– Не все в мире плохо. Например, я люблю Россию...

Душин отвечал:

– Ты о другом... Мы говорим о разных вещах... Постарайся понять меня.

– Я понимаю... Ты говоришь о мире в целом, о мироустройстве... Я не дурочка...

Душин похохатывал.

Однажды Лиза за ужином сказала:

– Иногда люди уходят в фантазии, в мечты...

Душин пренебрежительно махнул рукой.

– Это для детей. Надо отгородиться и создать другую жизнь.

– Хорошо. Ты говоришь о другой жизни. Но любая жизнь здесь, так или иначе, пусть в некоторой степени, будет связана с этим миром. Мы и питаемся от этого мира, хотя некоторые считают, что он проклят.

– Питаться – это другое дело. Кое-что можно получать от дьявола бесплатно, – насмешливо проговорил Душин. – Но то, что ты высказала, серьезно. В этом и трудность. Но у меня есть ответ.

И в этот момент Лиза заметила непонятное, чуть-чуть зловещее сверкание в его глазах. Лиза кивнула.

И целыми днями и ночами она впадала в сладостное забвение. Забыла о муже, о Гале, а детей у нее не было. Все, что было, кануло в пропасть. Остался только Душин. Не интересовалась она, откуда у него деньги на жизнь, какая охрана у него в доме есть и зачем она нужна. Она видела сторожку в саду, огромного пса, человек где-то там, все мельком, и ничто внешне-окружающее не беспокоило ее.

«Плевать на все, лишь бы лететь в эту бесконечность», – думала она.

Но временами молчание, загадочные и обрывистые слова Душина мучили ее, бросали в дрожь. Но только на момент, и он таял потом.

...Так проходили дни. И вдруг появилось еще одно существо. Женщина – чуть-чуть помоложе Душина. То была его сестра, Вера, и он к ней относился с жутковатым, мрачным благоговением. Одета она была тоже мрачно. Она стала возникать раз в два-три дня, приходила и уезжала. Крабов прятался от нее по комнатам и углам, а Душин сразу же уходил с ней в подвал, по впечатлению – навсегда. Но часа через два-три они медленно выходили из подвала, словно огромные черные тени.

Любовь Душина и Лизы продолжалась как ни в чем не бывало, но эти провалы, посещения пугали Лизу. Она робко спрашивала Душина:

– Когда Вера опять посетит нас?

На что Душин неизменно отвечал коротко и неясно, сквозь зубы.

Запуганная его благоговением перед сестрой, Лиза решилась спросить его, почему он с ней всегда спускается в подпол. Однажды, когда они спустились, она невнятно спросила у Варвары Егоровны, зачем они там. Варвара Егоровна отшатнулась:

– По делу, Лиза, по делу... – а потом прошептала, прошипела скорее, дернувшись: – Глаз, глаз свой Вера передала брату... Глаз!

Лиза вспомнила глаза Веры с их черной пустотой и содрогнулась.

– Физически? – тупо проговорила она.

– Какая уж тут физика, дочка, – рассердилась Варвара Егоровна и обмякла.

Лиза инстинктивно поцеловала ее в щечку.

– Не лезь умом, дочка, – прошамкала старушка. – Я в своих детей, в дочку и сынка, тоже умом не лезу. Один Бог знает их отношения между собой. А ты помолчи.

Лиза женским чутьем чуяла, что отношения между братом и сестрой не носили сексуального характера. Но от этого ей становилось еще страшней.

Варвара Егоровна исчезла после своих слов, а вскоре и брат с сестрицей вылезли из подвала, как из единого нутра. Лиза не могла выносить Вериного взгляда. Черная пустота этих глаз не втягивала в себя, но от нее она просто столбенела.

Когда Вера ушла, Лиза решила сказать Душину, что ее тревожит непонятность этих посещений. Душин не рассвирепел, как боялась Лиза, напротив, он спокойно ответил, что Лиза должна относиться к его сестре и к этим посещениям как к истине. А истину не расспрашивают.

...Лизе по ночам снился взгляд Веры, исходящий из глубин ее сновидений. Но Душин сломал ее ужас. Он как-то резко утвердил:

– Лиза, все, что происходит у меня с сестрой, тебя не касается. И не касается нашей любви.

Действительно, страсть текла рекой. И Лиза забылась. Тем более что так же внезапно Вера прекратила свои посещения. Лиза удивилась, но по взгляду Душина поняла, что так надо, что все идет нормально.

Текла невиданная жизнь, и Лиза не считала дни, не знала, где она и что происходит вовне. Однажды Душин спросил, как зовут ее мужа, и она запнулась на несколько секунд. Продолжалась любовь, но продолжалась и закрытость. Душин был по-прежнему непроницаем. Ночью – Лиза слышала сквозь сновидения – приходили какие-то люди, что-то приносили, грузили и исчезали.

Но одним безоблачным утром Душин ошеломил ее:

– Лиза, ты должна вернуться домой. И там, в другой обстановке, все спокойно обдумай и реши, сможешь ли ты быть со мной навсегда. Ты скажешь: я не знаю всего, но и я всего не знаю. Мы поплывем в очень далекое путешествие вместе. Билеты нам будут не нужны. Думай и решай. Собирайся, и я скажу тебе, как дать ответ. Но ты свободна поступать, как найдешь нужным...

Тон разговора был абсолютно категоричен. Лиза не сопротивлялась, что-то пролепетала. Оглушенную этим приказом Душина, ее посадили в автомобиль и извилистыми путями привезли в Москву, к станции метро «Речной вокзал».

...Квартира ее оказалась пуста. Она включила телевизор, узнала время и день. До возвращения мужа оставалось чуть более двух недель. Мобильником по ряду причин она не пользовалась, и считалось, что она отдыхает на даче. Поэтому, вероятно, все эти дни – а сколько их было, этих дней? – домашний телефон молчал.

...Лиза машинально входила в эту жизнь. Позвонила в журнал по поводу интервью, заплатила за квартиру. Ела, мылась, заходила в магазин – все как во сне.

Наконец, заглянула в Интернет. И содрогнулась. Узнала, что Галина Медакина, жена крупного предпринимателя, погибла в Чили в автокатастрофе. Сам капиталист остался жив.

Но особенно она не задумалась – погибла так погибла. Все ее сознание было направлено на одно: возвращаться к Душину или нет. Это мучило ее по ночам, в полудреме, и тогда, когда возникала в пустоте страшная, черная пустота Вериных глаз, и даже тогда, когда мельком пробегали легкие детские сны. Тайная бесконечность манила ее к Душину, но когда она лежала в своей мягкой теплой кроватке и гладила свои нежные ноги, ничего, кроме этой неги, не хотелось. Но Душин, его лицо не покидало ее изнутри.

И вдруг она решила твердо и бесповоротно: не возвращусь. Страх победил страсть. Она дала знать об этом Душину, и он спокойно принял ее отказ.

Его тайна легко победила страсть, а может быть, и любовь.

Невозможное возможно

Психоаналитик Анатолий Дмитриевич Сухарев, сидя у себя в кабинете, матерно выругался. Озадачил его (и первый раз) его коллега по психоанализу, Сазонов Валерий Дмитриевич, с которым они вместе кончали педагогический институт, со специализацией по линии психологических наук. Впрочем, в институте они почти не пересекались.

Сам Анатолий Дмитриевич, чуть толстоватый мужчина лет 40, непьющий, считался успешным в своей сфере, порой приводя в чувство самых пещерных шизофреников. Но и Валерий Дмитриевич считался успешным тоже, порой именно шизофреников чуть-чуть облагополучивал, что рассматривалось как редкость.

Итак, матерно выругавшись, Сухарев набрал телефон коллеги. Сазонов отозвался.

– Валерий Дмитриевич, – начал Сухарев, – я прямой человек, хоть и психоаналитик, меня поражает одно обстоятельство.

– Какое? – возник ласковый голос Валерия Дмитриевича.

– Удивительно, но факт: многие мои пациенты, как то, например, Вера Свиридова, Артем Филимонов, Аркадий Мешков и другие, одновременно ходят и к вам. Согласитесь, что это ненормально. У меня одни методы, у вас, вероятно, другие. Такое их собьет и добьет. Причем, что странно, все они ходят именно к вам.

– Хи-хи-хи, – только и ответили в трубке.

– Что? – не веря ушам, воскликнул Сухарев.

– Дорогой Анатолий Дмитриевич, – раздался ответ. – Всему есть научное объяснение, пусть порой и натянутое, даже ложное. Что делать? Нам надо повидаться и выяснить все при свете всемогущего человеческого разума. Больные, я думаю, не виноваты.

На следующий день Сухарев встретился с Сазоновым у себя в офисе. Он не помнил Сазонова в лицо, но мутно вспомнил, увидев его. Чуть толстоватый, умильный человечек, тоже лет около 40, для психоаналитика, пожалуй, слишком ласковый. «Но, может быть, это маска, игра», – подумал Сухарев. Сухарев и рот не успел открыть, чтоб выяснить «обстоятельства», как Валерий Дмитриевич сразу перешел в наступление, причем довольно диким образом. Он спросил:

– Когда точно, Анатолий Дмитриевич, вы родились?

– 2 июня 1970 года.

Сазонов всплеснул руками:

– Представьте, и я!

– Что «и я»?

– Я тоже родился 2 июня 1970 года!

– Хм, бывает же...

– А как звали вашего папу?

– Дмитрий Васильевич.

– И моего тоже звали Дмитрий Васильевич. Бывает.

Сухарев покраснел.

– Но фамилии-то разные...

– А как вашу мамулю звали, Анатолий Дмитриевич? – хитро перебил Сазонов.

– Наталья Петровна.

– И мою тоже. Могу показать свидетельство о рождении.

– Но фамилия мамы – Семенова...

– У моей другая.

– Вот видите! Прекратим этот идиотский разговор. К делу!

– Скажите, – не давал ему опомниться Сазонов, – как психоаналитик психоаналитику: что вас больше всего страшило в детстве?

Сухарев чуть-чуть замешкался.

– Помогу вам, мой друг, – зашепелявил Сазонов. – Меня лично в детстве больше всего напугала лошадь. На даче, в провинции, она укусила меня. Не помню, но как-то случайно. Больше напугала, чем укусила...

Сухарев остолбенел, лицо его сморщилось, как будто в него плюнули. Он тупо смотрел на расплывшегося в улыбке Валерия Дмитриевича.

– Ну, ну, рожайте, – хихикнул Сазонов.

– У меня тот же случай, – пробормотал Сухарев. Потом вдруг строго сказал:

– О лошади знала только моя жена, Вероника. Вы что, с ней переспали?

Сазонов всплеснул руками от негодования:

– Помилуйте, Анатолий Дмитриевич... Вы уже бредите. Нужна мне ваша Вероника, я ее в глаза не видел, у меня, слава Богу, есть своя Вероника, моя жена...

– Да, глупо... Моя Вероника не то существо, которое...

– Да бросьте вы... Сейчас самое время нашептать мне вам на ушко о наших с вами самых потаенных сексуальных секретах...

И Сазонов довольно бесцеремонно подскочил к Анатолию Дмитриевичу. Тот был растерян, как потерявшая ум лягушка, и молчал. Сазонов сам маленький, плюгавенький, с изгибом, наклонился и стал шептать. По мере того как он шептал, лицо Сухарева становилось похожим на маску ужаса.

Сазонов отпал, а Анатолий Дмитриевич, выпучив глаза, смотрел на него, пытаясь что-то уловить.

– Не соображаете ничего, Толя, – заметил Сазонов. – Выводы, выводы надо делать... Включите наконец свой ум.

Но Сухарев об уме позабыл.

Тогда Сазонов решил окончательно добить его, точнее, сдвинуть с места, ибо Анатолий Дмитриевич был в каком-то застывшем состоянии, словно полумертвый бегемот.

– Кофеечку-то у тебя не найдется? – сначала по-домашнему спросил Сазонов.

– Потом, – туго выговорил Сухарев. – Потом, Валера, потом.

Сазонов улыбнулся и начал, удобно рассевшись в кресле. Сам он чуть не утонул в нем и смотрелся в кресле, как доисторическая птица.

– Так вот, Толя, – произнес Валерий Дмитриевич. – Мы с вами отлично знаем, какое значение в нашей подпольной жизни имеют сновидения, – не приведи бог... Иной раз символика бывает устрашающая... Когда явь, такого не бывает, тут просто стукнут чем-то весомым по башке, и все. А здесь символика, которая может иметь отношение даже к нашей будущей загробной жизни.

– И что?

– А то, Толя, – и Сазонов подмигнул Сухареву, – что меня последние два года преследует с периодическим, но упорным постоянством один сон. Неприятный очень, мягко говоря... Я где-то в поле, бесконечная ширь, не поймешь, день или ночь, и вдруг на горизонте восходит нечто...

Сазонов бросил быстрый взгляд на Толю и с удовольствием заметил, как тот до неприличия побледнел, именно тогда, когда Сазонов произнес слово «нечто».

– Да, Толян, – развязно продолжил Сазонов, – это не была луна или солнце и тому подобное... Это было именно нечто, тоже шарообразное, видимо, но ужасающее... Дело в том, что определить, что это такое, было нельзя, потому что это нечто не восходило полностью, а только слегка поднималось над горизонтом каким-то своим краем... Точно какая-то сила, я думаю, благодатная, сдерживала это жуткое восхождение... Ибо я чувствовал, что если это нечто взойдет над миром, то будет конец. Конец всему. А причиной этого конца будет ужас, только ужас, а не действие, абсолютный ужас, исходящий от этого нечто, от этого восхождения... Состояние ужаса, вроде бы беспричинного, но несоразмерного, абсолютного, ожидание чего-то немыслимого разрушит мир, разрушит любое живое существо. И я, который вижу этот так называемый сон, тоже умру от ужаса, во сне, не имея сил даже проснуться... Бац, и все уходит в пропасть... Но этого не случается. Каждый раз, когда, кажется, оно вот-вот взойдет, что-то останавливает этот восход... Вот так, Толя.

И Сазонов взглянул на Анатолия Дмитриевича и ужаснулся. Его нельзя было узнать. Он махал руками, как беспомощный, толстенький ребенок и, – что Сазонова поразило больше всего, – пищал. Пищал почти по-детски, и Сазонову показалось, что у Толи слезы текут из глаз. Сазонов обеспокоился.

– Толя, Толя, что ты?! – вскрикнул. – Ведь оно не взошло!

Толя, прекратив махать руками, вскипел.

– Валера! – завизжал он. – Ты должен все объяснить! У меня то же самое!

– Необъяснимое не поддается объяснению, – печально ответил Валерий.

Сухарев вскочил. И забегал по комнате, как пойманный слон. Упал стул.

– Толя, Толя, да успокойся ты!

Но Сухарев продолжал визжать.

– Толя, Толя, хочешь, я тебя развеселю?! – спохватился Сазонов. – Однажды у меня мелькнула мысль, что это нечто на самом деле моя собственная рожа... Да, да, моя рожа, но жуткая, чудовищная, выражающая мою собственную темную, мрачную сущность. Хи-хи... Помнишь стих:

И увижу, приехав на море,
Моей собственной рожи восход...

Но Сухарева упоминание о «собственной роже» не развеселило. Он уже не визжал, но полубредил.

Сазонов сразу хватился за бутылку коньяка, она ютилась где-то в шкафу. Достал. И заставил своего Толяна выпить полстакана не закусывая. И сам выпил.

– Хорошо сидим, Толя, – обратился Валерий к Сухареву, почувствовав тепло внутри.

Сухарев будто бы успокоился и стал выглядеть логичным.

– Валера, расскажи, в чем дело. Я требую. Меня интересуют до боли эти жуткие совпадения...

Сазонов выпучил глаза.

– Да что тут объяснять, Толя, тут все ясно, нечего рассказывать... Неужели ты не понял? У нас одна душа, одна личность, нас не двое, мы – одно лицо фактически. Единая личность, единая душа, но два разных тела, и все. Такое бывает. По-моему, в древних мистических текстах об этом писали... Редко, но бывает.

Но реакция Анатолия Дмитриевича на объяснение, впрочем, относительно мудрое, оказалась непредсказуемой. Он стал швыряться предметами. Полетел на пол графин с водой, стаканы и прочее, и прочее...

Сазонов, пытаясь его угомонить, стал причитать:

– Толя, вспомни повесть «Нос» нашего великого Гоголя... Что там в финале? То же самое: редко, но бывает... Дорогуша, вспомни!

Но «дорогуша» не внимал. С отвращением, но и ужасом он поглядывал в лицо Сазонова, боясь увидеть там самого себя. Слегка повизгивал. А потом сказал:

– Валера, мне дурно. Уходи. Сейчас должна прийти Вероника.

Сазонов плюнул с досады, хмуро посмотрел на Толю и ушел. Когда уходил, уже за дверью, слышал грохот падающих предметов. Видимо, Сухарев не дремал...

Городская психиатрическая клиника, уважаемая в Москве, широко раскрыла свои двери перед Анатолием Дмитриевичем. Его, мягко говоря, чуточку шумного, привезли поздно вечером и разместили в двухместной палате. Но он оказался там один, никакого соседа не было.

А наутро явился сам Валерий Дмитриевич, но не в качестве гостя, а в качестве сумасшедшего.

– А вы-то как сюда?.. – обомлел Сухарев.

– Толя, – убежденно ответил Сазонов, располагаясь на своей кровати. – Неужели не ясно: куда вы – туда и я. Ничего страшного, побудем психопатами и вернемся...

У Сухарева что-то сдвинулось в сознании, но потом встало на свое место. Он сразу вдруг поумнел...

Дверь распахнулась, и вошел главврач. Сзади – сестра-хозяйка.

– Милые вы мои! – воскликнул главврач. – Воробушки!

Подошел и чмокнул в лоб сначала Сухарева, а потом Сазонова. Обернулся к сестре и выпалил:

– Катя, самовар, самовар неси! Вот на этот столик... Пусть ребята чаевничают с утра.

И главврач стремительно, даже пугливо, скрылся...

Через минуту Катя внесла в палату огромный, разукрашенный под старину, электрический самовар.

В гостях[1]

Семья Анисиных жила странно. Местопребывание их – Москва, неказистая многоэтажка, район – средний, так себе. Время текло то быстро, как на войне, то медленно, как в медвежьей берлоге. Но наступал уже 2011 год, «год бессмысленный, трудный и кровавый», – так уверяла Анисиных соседка Вера Ильинична, увлекающаяся незримыми науками.

– А мне плевать, какое время будет, – отвечал ей отец семейства Анисиных, Семен Ильич, электрик по профессии, человек непьющий и немного диковатый. – Лишь бы меня, жену да дочку не захватило.

– Прихватит, – отвечала соседка, пристально вглядываясь в глаза Семена Ильича, как в некую черную пустоту. – Что-нибудь – трудность, бессмыслица или кровь – обязательно оглушит... Не сомневайся...

[1] Впервые рассказ «В гостях» был напечатан в ж. «Сноб» / июнь 2011 г.

Разговор этот происходил около лифта, который почему-то застрял, и Семен Ильич с соседкой, бледной Верой Ильиничной, топтались недоуменно на лестничной клетке. В ответ на такое предупреждение Веры Ильиничны Анисин только улыбнулся, хотя и почувствовал какой-то бесшабашный хмель в голове.

– Не пугай, ведьма ты моя, – ласково ответил он. – Мы к мировой истории и ко всяким событиям отношения не имеем. Мы люди тихие, любим котов и мышей... Ты ожидай тут лифта, а я сам спущусь. Дом – не самолет, лестница пока на месте...

И Семен Ильич спустился вниз.

Прошла целая неделя. Жена Анисина, Галя, была моложе его, пятидесятилетнего, и дочка Семена Ильича, Дуня, была от первой жены, Надежды, которую раздавил в свое время автобус.

Дунечка, а ей уже стукнуло 19 лет, жила полузадумчиво, сложно, мачеха ее терпеть не могла, хотя и сдерживалась. Толстая Галя не терпела Дуню за все: и за худобу, и за дурость в форме задумчивости, и за совершенно непонятный характер. Когда Гале было отчего-то весело и она хохотала, Дуня в этом случае чуть не плакала, и наоборот: когда Галя плакала, Дуня, если не хохотала, еле сдерживала истеричный до глубины души смех.

То ли дело Вера Ильинична, предсказательница и экстрасенка, – вся ее квартира утопала в изобилии. Но главной ее обителью была зимняя дача.

На даче той порой творилось нечто инопланетное, и все это под звуки рок-н-ролла; хотя Вера Ильинична была в летах, но современности не чуждалась.

– Так надо, – говаривала она. – Не будешь уважать свое время, оно укусит. Жесток, жесток бывает бог времени...

К Дуне Вера Ильинична испытывала какое-то странное любопытство, иногда забегала к ней в квартиру, когда Дуня была одна. И Дуне она нравилась.

– Ты молодец, Дуняша, что ничему и нигде не учишься и пролетаешь мимо, – говорила она. – Ты тварь тихая, себе на уме. Учения века этого скоро пройдут, и от них ничего не останется. Другая наука будет. Нечего тебе всякой дурью голову забивать, в институты лезть.

А Дунечке на любую науку было наплевать, и была у нее еще одна особенность: что бы ни случилось в этом мире, – она ничему не удивлялась.

Вера Ильинична очень хвалила ее за это, прямо души в ней не чаяла и приговаривала при этом:

– Скоро на земле такое удивление будет, что люди многие с ума сойдут, удивившись, а с тебя в этом случае как с гуся вода. Живи, живи, Дуняша...

И Дуняша жила.

Но всякой жизни приходит конец, и начинается другая жизнь. Так и случилось с Дунечкой. В один ненастный день, осенью, она пропала. Ушла днем и не пришла на ночь.

Папаша, Семен Ильич, человек осторожный и, как было сказано, непьющий, звонил по знакомым, соседям, искал, но два дня прошли как в пустоте. Галя, жена и мачеха, не осмелилась не переживать, но в сердце своем была довольна. «Может, Бог прибрал ее, – думала. – И нам хорошо, и Богу тоже. А тут живешь в тесноте, и еще она все время молчит... Ничего, на том свете не помолчишь».

И стала Галя еще ласковей к мужу, чтобы лаской своей убедить его в ненужности дочери. Ласку Семен Ильич принимал, но о дочке задумывался. Уже решил было заявить в милицию, хотя милицию не выносил.

Шел третий день исчезновения Дуни.

«Ну куда она, такая тихая, как тень, могла деться? – думал Семен Ильич. – У нее и подруг-то особо не было... Правду говорят, что люди сами собой на этой планете стали исчезать. Уйдут за хлебом и не придут. Если за пивом уйдут, то еще понятно... А за хлебом... Наверно, и дочка сама исчезла... Но в милицию... черт с ней, но заявить надо...»

И в этот момент в квартире Анисиных раздался телефонный звонок. Мобильник Семен Ильич не жаловал, но к стационарному телефону относился с любовью. Он был один в квартире и тихо, как мышь, подошел и снял трубку. Спокойный, мрачный голос глухо и уверенно прозвучал:

– Папаша, дочка у нас. Заявишь в милицию – ее убьем. А если по-хорошему, то возвратим недели через две-три целой и здоровой. Заплатишь за это пять тысяч рублей. Рублей! Понял? Этого хватит! Достаточно! Когда и как – сообщим. Не дури, папаша, и помни, спи себе спокойно, как в детстве... Осознал?

И трубку повесили.

Семен Ильич сел на табуретку и задумался. В уме мелькала главная боль: «Если б Вера Ильинична была на месте...»

Но Вера Ильинична еще месяц назад укатила в Африку обучать африканских колдунов. Мысль же о милиции сразу ушла из его головы. Смущало только одно: почему за дочь просили так немного, всего пять тысяч рублей?.. Этого Семен Ильич никак не мог понять: «В наш жлобский век, когда за деньги люди друг друга в гроб загоняют, и вдруг такая чистота – всего пять тысяч рублей! Курам на смех!»

Ему даже стало до слез обидно. «Что же, за мою дочку – и пять тысяч всего... Как за поганку какую. Сейчас за кота, если украдут, тысячи «зеленых» просят... Что ж, моя дочь хуже кота?! Нет, так не пойдет. Я им доплачу. А потом, что ж это за бандиты такие, не от мира сего... А?.. Что творится-то на свете, что творится?..»

И Семен Ильич встал в перманентном изумлении, дожидаясь звонка.

...Дуню прихватили, можно сказать, на лету. Она шла по вполне спокойной, нормальной улочке, по краю тротуара, немноголюдной, правда. К тому же все куда-то спешили. Вдруг около нее притормозила внушительная по размерам, но видавшая виды легковушка – она и не обратила на нее внимания, задумавшись ни о чем. Не обратила она внимания и на то, как оказалась в самой этой машине на заднем сиденье, в середине, а по бокам ее оказались два неопределенного, даже серенького вида мужичка. Взглянув на них, невозможно было сказать, кто они. Но за рулем сидел крепкого вида человек средних лет, и вид его был какой-то жутковато-обычный. Один его затылок внушал Дуне ужас. Этот ужас и пробудил ее.

Мужички же около нее, вроде бы некие криминальные работяги, были послушны водителю, как псы.

Ужас ушел внутрь Дуни, и она замерла. Она вообще не была склонна к крику. А чего кричать, когда вокруг ничто не подчинялось ее воле? «Заткнут рот – и убьют», – подумала она.

И вот они все ехали и ехали. Молча. Ни одного слова, только иногда покрякиванье.

Дунечка, которая вообще отличалась странным отношением к своей жизни, хотя и дрожала потихоньку, но внутренне думала, что все обойдется, даже если ее убьют.

Так прошло часа три. Москва уже была позади. Наконец они въехали, видимо, в какой-то дачный, но полузаброшенный поселок, который и определить нельзя было точно – поселок ли это, деревня, дачи или просто дома.

Дом, к которому они подъехали, был огорожен надежным забором, но таким, который не бросался в глаза. Сам дом был внушителен, немалый, но деревянный и даже страшноватый своей какой-то неопределенностью. В таком доме вполне могли жарить младенцев, но также реально устраивать тихое, человечье чаепитие с душеспасительными разговорами о пользе загробной жизни.

Дунечка к тому времени, как это ни кажется парадоксальным, уже более или менее успокоилась. Она думала о том, что ее мысли останутся всегда при ней, что бы с ней ни случилось, даже если ее тело сгниет где-нибудь в подвале, а свои мысли Дуня любила больше всего на свете, хотя и не понимала, по существу, о чем она думает. Трепетная все-таки, ибо тело давало знать о себе, она вошла в дом с этими тремя мужичками. Впрочем, двое из них тут же исчезли, как будто их чёрт сдунул. Но жутковато-обычный водитель, видимо, он на самом деле был хозяин, повел ее заваленными нечеловеческим почти тряпьем коридорчиками, темными закоулками куда-то вперед, во тьму. Из этого барахла точно выглядывали какие-то рожи. Наконец хозяин открыл дверь в узенькую, полутемную комнатку без окон, с убогой кроваткой и сказал:

– Спи тут. Я тебя запру. Не бойся. Крыс в доме нет, есть одна домашняя, от нее вреда нет. Ночной горшок – под кроватью. Если что – звони вон в тот большой колокольчик у стены.

Дуня села на кровать, обомлев.

– Как вас зовут? – спросила она.

– Егор.

– А меня Дуня.

– Знаю. Когда мы ехали, ты в бреду свое имя повторяла...

– Разве я бредила?

– Конечно. Будешь бредить в твоем положении.

Дуня робко взглянула в лицо похитителя. Был он отнюдь не красавец, но очень мощен, точно наполнен какой-то непонятной силой. Черно-волосатый, а в глаза его Дуня побоялась заглянуть.

– Ты кто? – только и спросила. – Зачем тебе моя смерть?

Егор захохотал.

– Я ж тебе говорил: не бойся... А кто я? Я такой же, как ты. Я тебя, Дуня, давно знаю.

Дунечка ахнула и подумала, что он сумасшедший. Егор внимательно на нее посмотрел. Взгляд его был тяжелый, но ужаса в нем не было.

– Спи до утра.

И вышел, но запер дверь. От этого звука у Дуни екнуло сердце. Она не знала, что делать, то ли ей спать, то ли повеситься. Но в уме встал тяжелый взгляд Егора, и он усыпил ее...

...Дуню разбудил звук открываемой двери. Она испуганно-робко открыла глаза и увидела на пороге девушку, худощавую, бледную, словно всю жизнь она провела в подвале, а у ног ее замерла черная, как мрак, крыса.

Дуня взвизгнула, но отрешенно, по-своему. Девушка, не обращая внимания на ее взвизгиванье, мрачно проговорила:

– Пора завтракать. Меня зовут Зоя. Идите за мной.

И она быстрым движением ножки отвела крысу в сторону.

Дуня, решив ничего не понимать, поплелась за ней. Опять коридоры; в туалете Дуня вроде бы помыла руки, лицо и покорно последовала за Зоей.

Они подошли наконец к какой-то двери, и Зоя, открыв дверь, чуть ли не втолкнула Дуню внутрь, а сама не вошла.

Дуня огляделась и ошалела. Ошалела от красоты, которую она увидела. Довольно большая, прямоугольная, эта комната светилась уютом и благолепием. На стенах – картины, от вида которых возбуждались в душе доброта и тихость, старинные часы, вероятно, антикварная мебель, паркет и длинный дубовый стол, за которым сидели четыре человека.

Одна – женщина лет 40, с лицом интеллигентным и сладко-добродушным, стремительно, как птица, соскочила со своего стула и подбежала к Дуне. И ошеломленно сказала:

– А мы вас ждали... Дайте я вас поцелую...

Дуня, онемевшая, стояла, как статуя, и не пошевелилась на призыв.

Женщина сладко, почти приторно поцеловала ее в обе щечки и, взяв за руку, повела к столу.

Стол был заставлен цветами и цветочками, а между ними – такое изобилие всяческой явно вкуснейшей еды, что Дунечка наконец вздрогнула, проявив себя телом. Но уста ее молчали.

– Меня зовут Лидия Леонидовна, – вещала женщина, видимо, хозяйка, прямо извиваясь вокруг Дунечки. – Угощайтесь, милая, угощайтесь. Еда никогда не обманывает человека. Насладитесь каждой клеточкой своего обожаемого тела...

Дуня взглянула на людей. Сначала ее взгляд упал на небрежно одетого старика, как будто бы обычного, но с такими ледяными, страшными глазами, что ее бросило во внутреннюю дрожь. Но она ничем не выдала себя. Старик между тем представился:

– Генрих.

– Я Дуня, – прозвучал невнятный ответ.

– Не надо. Мы вас видим, – ответил старик.

Рядом со стариком сидел тип, реально испугавший Дунечку. Это было дитя, мальчик лет девяти-десяти, но совсем какой-то безобразный, даже уродливый, с полусгнившими, как показалось Дуне, зубами, но с хищным оскалом. Он был ужасен среди всего этого благолепия – именно этот контраст и спугнул душевно Дуню. Но она все-таки не дрогнула.

– Его зовут Юрочка, – заявила Лидия Леонидовна.

Зато последний незнакомец почти возродил в сердце Дунечки веру в людей. Это оказался человек лет 35, округлый, чуть-чуть толстенький, налитой и с таким добродушным, внимательным ко всему живому и благим выражением лица, что невозможно было не довериться ему во всем.

– Геннадий, – представился он. – Балуюсь пением и игрой на гитаре.

Дуню усадили около Лидии Леонидовны. Она тут же наложила Дуне в тарелочку салат, от одного вида которого можно было забыть обо всех бедах. Дуня набросилась на него, словно на спасение.

– Дунечка, милая, – проговорила Лидия Леонидовна улыбаясь. – Взгляните на Юрочку нашего. Год назад он, можно сказать, почти случайно убил Кирилла, мальчишку поменьше его. И ничего, выкрутился. Жизнь продолжается.

Дуня поперхнулась.

– Экая вы, милая, неловкая, – удивилась Лидия Леонидовна. – Нельзя все так принимать близко к сердцу. Вы видите, с Юрочкой ничего не случилось. Он за столом, а не в детской колонии.

– Кушайте, Дуня, кушайте, – прошипел старик.

В это время Геннадий запел. В его руках мгновенно оказалась гитара.

– Это он для вас, Дуня, поет, – улыбнулась Лидия Леонидовна.

Геннадий пел во всю мощь своих легких. Слова песни были дикие, но трогательные:

> У Питоновой Марьи Петровны
> За ночь выросла третья нога
> Она мужу сказала влюбленно:
> «Я тебе теперь так дорога!»

И далее в таком же духе. Пел он проникновенно, с душевной болью. Когда он кончил, Дуня изумленно уставилась на него, позабыв о чудесном салате. Гена доверчиво улыбнулся ей в ответ:

– Я всегда пою, – сказал он, – о несчастных, страдающих людях. Обратите внимание, Дуня, на такие слова в этой песне, слова о муже героини:

> Но Ванюша был парень убогий,
> У него вовсе не было ног.

– Вот как получилось, – продолжал Гена. – У одной – три ноги, у другого – ни одной. Я спрашиваю: разве это справедливо? Но так и бывает в жизни.

И глаза певца засветились чуть ли не слезой. Дуня тоже была готова расчувствоваться.

– Вы ешьте, ешьте, – прервала этот порыв чувств Лидия Леонидовна, накладывая ей рыбку чуть ли не насильно. – От еды еще никто не умирал. И третья нога от еды не вырастет.

– А где же Егор? – вдруг спросила Дуня.

Ответом была глубокая тишина. Все словно замерли. Прошло минуты две.

– Егор путешествует, – тихо ответил старик.

В голове Дуни, и так замутненной, все смешалось, перепуталось, сгинуло. И вдруг, как молния, вспыхнули в сознании слова. И она их произнесла:

– Когда же вы меня отпустите домой? Ведь отец беспокоится...

В ответ молчание продолжалось всего минуту.

– Ты у нас в гостях, Дунечка, – вымолвила Лидия Леонидовна. – Отец предупрежден, что отдохнете у нас и вернетесь веселой...

Дуня вдруг ясно поняла, что ей не уйти сейчас никуда. Но Лидия Леонидовна глядела на нее с такой добротой, что Дуня не смогла противиться непонятному. Может быть, с ней не будет ничего плохого? Отец предупрежден, а мачеха только рада. Но зачем все это?

Но потом обыденный смысл ушел из ее сознания, потому что он всегда надоедал ей. Она опять огляделась. Все было красиво и добротно. Только глаза Юрочки поблескивали недетским мраком. И она принялась за салат и рыбу. Но старик заметил ее взгляд, направленный на Юрочку.

– Не осуждайте его, – заметил старик. – Он у нас слишком развитой, не по возрасту...

Дуня не удержалась и снова молниеносно заглянула в глаза Юрочки. На мгновенье ей стало дурно, но она быстро пришла в себя. Старик пристально наблюдал за ней, не пугая ее, однако, чем-нибудь излишним.

Дуня удивлялась, почему этот «завтрак» так обилен, словно она уже не завтракала, а обедала. Блаженная мысль вошла в голову: все это сон, а не действительность. Любая деталь всей этой ситуации стала казаться ей фантастической.

– Приятно, приятно, – начала шептать она самой себе.

Вдруг к ней подошел добродушный Гена, певец.

– Потанцуем? – попросил он вкрадчиво.

Дуня почувствовала, что это внезапное приглашение только подтверждает реальность сна. Она согласилась. Никакой музыки. Тишина. Только слегка чавкал Юрочка. Дуню пугало это безмолвие; ей стало казаться, что она танцует на краю пропасти.

Гена был мил, но минут через пять Дуня упала в обморок. Пустота, и даже сознания как бы нет.

Она очнулась в хорошо обставленной, уютной комнатке на широкой кровати. Рядом стоял Егор. Он почудился ей каким-то другим, похожим на идола. Взгляд его был тяжел.

– Полежи здесь, Дуня. Тебе надо отдохнуть, – хрипло сказал он.

– А что потом? – пролепетала Дуня.

– Потом поедем к твоему жениху. Он недалеко.

Дуне показалось, что она опять теряет сознание. Егор поправил ее одеяло, спокойно и уверенно, и вышел.

Минут через десять вошла улыбающаяся, почти светящаяся Лидия Леонидовна. Заметив, что Дуня не спит, сладостно проговорила:

– Как мы себя чувствуем? Может быть, горячего чаю с лимончиком?

Дуня посмотрела на нее отсутствующим взглядом.

– Кто жених? – прошептала она.

– Тс, тс, тс, – оборвала ее Лидия Леонидовна и приложила пальчики к своим губам. – Спите, не думая...

Ослабевшая Дуня заснула. Или, может быть, ей показалось, что она заснула. В душе ее, где-то в глубинах, мелькали какие-то тени, наверное, людей, а возможно, и других существ. Они то подвывали, взвизгивали от страха еле слышными голосами, точно они были на том свете, то наоборот – раздавалось почти райское пение. Дуня просыпалась и как будто видела их наяву, потом опять юркала в себя.

Долго полумучилась она, пока наконец не наступило новое утро.

– В гостиную, Дунечка, в гостиную! – раздался за дверью веселый голос певца и танцора Гены.

Дуня с тупой покорностью встала и пошла туда. Вошла в гостиную – и что же? В огромной комнате – ни души, а на столе вместо лакомых яств покоится закрытый гроб.

Дуня закричала, но тут же появилась вездесущая Лидия Леонидовна.

– Гена, Гена! – крикнула она, открыв дверь в коридор. – Что же ты не упредил нашу Дунечку?! Где ты?

И она потом обернулась к Дуне.

– Милая, извините за гроб. Это Зоя, прислуга, вы ее видели, померла к утру... А гроб у нее в хозяйстве всегда найдется. Вот мы ее и положили. И крыса ее тоже вместе с ней умерла, не могу сказать «сдохла»... Пойдемте, деточка, отсюда скорее вон, нечего душу смущать.

И Лидия Леонидовна взяла Дуню за руку и, как ребенка, вывела, проводила в другую комнату, далеко от гроба. Комнат в этом доме было достаточно. Она усадила Дунечку в кресло, придвинула маленький столик и пообещала тут же принести горячий чай с пряниками.

Действительно, вскоре все это было подано, но не Лидией Леонидовной, а ее, видимо, другой прислугой. Потом мелькнул перед Дуней и оптимист Гена, пробормотав, однако, на этот раз угрюмо, что «сегодня увезут тебя, Дуня, к жениху». Дуня заплакала.

Между тем в соседней комнате в креслах сидели два человека – хозяин (Егор) и тот самый старик с ледяным, пристальным взглядом по имени Генрих.

– Егор, – говорил старик. – Ничего у нас с этой Дуней не выйдет.

– Надо подумать, – сурово ответил Егор.

Лицо его стало загадочным.

– Нечего думать. Мне стало ясно, Егор, когда я во время ее обморока просмотрел ее руки. На правой руке тот самый знак, который может спутать нам все карты.

– Знаю, знаю. Сам видел, – мрачно прервал Егор.

– Если суммировать все негации, которые мы увидели в ней, то не стоит связываться... Мы проделаем над ней такую страшную, фантастическую работу – и все пойдет прахом. Она не тот человек.

Егор встал.

– Я сам все решу сегодня к вечеру.

И резко вышел из комнаты.

...К вечеру Егор зашел в комнату, где столбенела Дуня.

– Собирайся, поедем! – сказал он.

«К жениху», – подумала Дуня.

В тумане своих мыслей она накинула свою курточку и пошла вслед за Егором. Они молча прошли двор, сад, вышли на улицу, где уже стояла машина, та самая, на которой Дуню привезли сюда. В машине сидели те же два человека, которые доставляли ее в этот дом. Они вышли и так же посадили ее на заднее сиденье, а сами расположились по бокам. Егор сел за руль, и снова Дуня машинально уперлась взглядом в его жутковатый затылок.

– Кто жених? – бессильно спросила Дуня.

В ответ – запредельное молчание.

Тогда она впала в полузабытье. И опять где-то на границе сознания замелькали тени, и слышался вой, стон, немыслимые крики, а потом стоны умолкали, и ей слышалось райское блаженное пение, и потом опять – стоны, беззвучные проклятия, потом снова блаженное пение, и так без конца адский вой и ангельское пение следовали один за другим, и ничего другого не существовало. Она уже не различала, когда стон, когда пение, словно ад и рай сливались в одну симфонию.

Вдруг машина остановилась, кто-то распахнул дверцу, и властный голос Егора прозвучал во тьме:

– Выходи!

Дуня, словно теряя свой ум, вышла. Рядом стоял Егор. Вокруг – дома, улица.

– Входи в обычную жизнь, – сказал Егор, и голос его приобрел почти бесконечную власть. – Видишь, там твой дом. Возвращайся к отцу. И забудь, где ты была и что видела. Молчи об этом.

И этот голос стер ее память о том, что произошло. Осталось одно смутное видение.

Как пьяная, она поплелась домой. Поплелась без всякой радости. Позвонила в знакомую дверь.

Отец открыл и пошатнулся от счастья. Потом вскрикнул. Галя, мачеха, была на кухне и все поняла. «Пришла, стерва», – подумала она. Семен Ильич засуетился.

– А деньги, Дуня, деньги? – закричал он. – У меня не пять, а все девять тысяч! Надо им отдать!

– Да подавись ты своими деньгами! – резко ответила Дуня и пошла в свою комнату.

Семен Ильич разинул рот.

Содержание

ВСЕЛЕНСКИЕ ИСТОРИИ

РАССКАЗЫ